EMPFEHLUNGEN

„Liebesgrüße aus Auschwitz" erzählt von der Liebe zwischen zwei Schwestern, welche aus einer Welt hervorging, in der sich alles gegen eine solche Liebe verschworen hatte. Es ist ein nachdenklicher und durchdringender Einblick in die Seelen von Überlebenden, in die Seelen, die selbst das Ziel der Nazi-Tötungsmaschinerie waren. Allein die historischen Einzelheiten des Buches machen es bereits zu einem außerordentlich wertvollen Beitrag zur Holocaust-Forschung, doch die darin bezeugte Wertschätzung menschlichen Lebens im Angesicht des Holocaust trägt noch mehr dazu bei. Mit seinem eleganten Schreibstil belebt Daniel Seymour eine persönliche Geschichte, welche über die historischen Fakten hinausgeht und uns in die tiefen Abgründe der Shoah mitnimmt.

David Patterson, Hillel A. Feinberg Professor für Holocaust-Forschung, University of Texas at Dallas

---

„Liebesgrüße aus Auschwitz" ist ein faszinierendes Buch über die Lebensgeschichten von Manci und Ruth Grunberger. Es erzählt vom Holocaust, vom Überleben und von der Rettung. Gleichzeitig ist es auch die Geschichte der unbegrenzten Liebe zwischen zwei Schwestern. Diese Liebe formt ihre individuellen Leben, gibt ihnen die Kraft Auschwitz zu überleben, die Rettung und den temporären Aufenthalt in Schweden zu verarbeiten und die Herausforderungen ihres neuen Lebens in den USA zu überstehen. Es ist ein schön geschriebenes, fesselndes und aufschlussreiches Buch und somit ein wichtiger, neuer Beitrag zur Holocaust-Forschung.

Roland Kostić, Professor für Friedens- und Konfliktforschung, Dozent für Holocaust- und Genozidforschung, Universität Uppsala, Schweden

---

Manci und Ruth Grunbergers Lebensgeschichten sind faszinierend, ergreifend und überzeugend. Sie fesseln den Leser und erfreuen den Historiker mit den Einzelheiten ihres frühen Lebens in der tschechoslowakischen Stadt Mukačevo (Mukatschewo, heutige Ukraine). Das Band zwischen den Schwestern war unzerstörbar.

Dr. Kelly J. Zuniga, Geschäftsführerin, Holocaust Museum Houston

---

„Liebesgrüße aus Auschwitz" ist eine fesselnde und eindringliche Darstellung der Leben zweier liebevoller und treuer Schwestern, von ihrer glücklichen Kindheit in Osteuropa zu den schrecklichen Erfahrungen des Holocaust, in dem man systematisch versuchte sie ihrer Menschlichkeit zu berauben, bis hin zu den erfolgreichen und erfüllenden Leben, welche sie sich in den Vereinigten Staaten aufbauten. Die ehrlichen, bewegenden und detaillierten Memoiren, geschrieben in der ersten Person, kommen gekonnt mit dem hilfreichen, historischen Kontext und den aufschlussreichen Fotografien zusammen, um ein lobenswertes Ganzes zu schaffen. Ihre Schilderungen von Leid, menschlichem Durchhaltevermögen, dem Verarbeiten von Trauma, von tiefen, andauernden Freundschaften und Geschwisterliebe sollten nicht vergessen werden.

Elliot Lefkovitz, Professor für jüdische Geschichte und Holocaust-Forschung, Spertus Institute for Jewish Learning and Leadership

---

„Liebesgrüße aus Auschwitz" ist ein intimer Einblick in die Leben zweier bemerkenswerter junger Frauen. Genau wie „Das Tagebuch der Anne Frank", welches Geschehnisse unmittelbar beschreibt, grenzt sich dieses Buch von vielen anderen Schilderungen ab, weil so viel davon kurz nach ihrer Befreiung von den beiden Schwestern in Tagebüchern verewigt wurde. Daher sind die von ihnen dargestellten Erfahrungen frisch, lebendig und voll roher Intensität. „Liebesgrüße aus Auschwitz" wird in unserer Geschichte weiterleben und niemals vergessen werden. Mit dem Einfangen dieser Erzählung hat Daniel Seymour der Welt ein wunderschönes Geschenk gemacht.

Nancy Sprowell Geise, Autorin von „Auschwitz #34207: Die Joe Rubinstein Story"

„Liebesgrüße aus Auschwitz" wurde von Daniel Seymour mit der und für die liebevolle Hingabe zweier Schwestern verfasst. Durch die Erzählung in der ersten Person wird der Leser an ihre Stelle befördert und bezeugt die Schrecken des Holocaust mit ihren jungen Augen. Zwischen den alternierenden Einträgen der Schwestern befinden sich historische Informationen, damit der Leser ihre Erfahrungen in einem weiteren Kontext betrachten kann. Daraus geht eine wahrlich mitreißende Geschichte hervor, in der der Leser ihre Hoffnungen, Träume und Ängste miterlebt.

Millie Jasper, Geschäftsführende Direktorin, Holocaust and Human Rights Education Center, White Plains, New York

---

Dieses Buch legt wertvolles und ausführlich recherchiertes Zeugnis ab. Es stellt das Leid und den Triumph zweier Schwestern dar, welche die Gefangenschaft im Vernichtungslager von Auschwitz überlebten. Woher nahmen sie die Kraft neu anzufangen, nachdem ihre gesamte Familie ermordet wurde? Essentiell für ihre Widerstandsfähigkeit war das Band der Liebe, das sie als Schwestern miteinander verband. Ihre fesselnden Schilderungen zeigen, dass der Charakter eines Menschen nicht von dessen Tragödien bestimmt wird, sondern davon, wie man sich diesen Widrigkeiten stellt. „Liebesgrüße aus Auschwitz" von Daniel Seymour ist eine gekonnt erzählte Geschichte, welche beleuchtet, wie Manci und Ruthie ihr Trauma verarbeiteten und ihre Leben, der dramatischen Vergangenheit zum Trotz, erfolgreich wiederaufbauten.

Françoise S. Ouzan, Autorin von „How Young Holocaust Survivors Rebuilt their Lives: France, the United States, and Israel", Leitende wissenschaftliche Mitarbeiterin, The Goldstein-Goren Diaspora Research Center, Universität Tel Aviv, Israel

---

Diese inspirierenden Memoiren vom Überleben, von der Hingabe, dem Triumph und der Liebe zweier Schwestern gibt diesen besonderen Frauen eine Stimme und ist ein authentischer und bedeutender Beitrag zur Literatur. Es sind ihre Worte, die dieses Buch zum Leben erwecken, und ergänzt werden ihre Schilderungen mit historischem Kontext von Daniel Seymour.

„Liebesgrüße aus Auschwitz" ist wahrhaftig eine Liebesgeschichte zwischen Manci und Ruth Grunberger.

Rochelle Saidel, Gründerin und Geschäftsführende Direktorin des Remember the Women Institute und Autorin von „The Jewish Women of Ravensbrück Concentration Camp"

Daniel Seymour hat ein aufschlussreiches und bestürzendes Buch geschrieben, welches einen Einblick in die persönlichen Leben von Manci und Ruth Grunberger gibt, zwei jugendliche Schwestern eingesperrt in Hitlers Todeslagern, die die Schrecken des Holocaust erlebt und überlebt haben. Diese Geschichte wird ihr Herz ergreifen, ihre Wut entfachen und ihnen die wahre Bedeutung von Liebe zeigen. Ich kann „Liebesgrüße aus Auschwitz" nur höchstens empfehlen.

Denise George, Co-Autorin von „The Secret Holocaust Diaries"

Diese aufregende Erzählung wird von den Memoiren und Reflektionen zweier Frauen angetrieben, die von dem Autor Daniel Seymour gesammelt wurden, welcher auch die Einführung des Buches verfasst und es mit historischen Hintergründen ergänzt hat. Sowie die Zahl der Überlebenden abnimmt, erinnert uns „Liebesgrüße aus Auschwitz" weiterhin an die Hoffnung, Hingabe, Loyalität und Courage von Ruthie, Manci und den anderen Überlebenden. Ihre Geschichten werden uns für immer inspirieren.

Paul Radensky, Bildungsdirektor, Museum of Jewish Heritage - A Living Memorial to the Holocaust

Als Jugendliche in Auschwitz waren die Schwestern Manci und Ruthie Grunberger gezwungen den persönlichen Besitz jüdischer Neuankömmlinge zu sortieren, während sie die Schreie und das Pochen an Wänden aus naheliegenden Gaskammern hörten. Die Familie ermutigte Mancis Schwiegersohn Daniel Seymour ihre Geschichte aufzuschreiben. Das Resultat ist ein Zusammenkommen von Interviews, Memoiren und Tagebucheinträgen in der ersten Person mit historischen Details, wodurch eine ausführlich recherchierte und schlüssige Schilderung zweier außerordentlicher Leben entsteht.

D.Z. Stone, Journalistin und Autorin von „No Past Tense: Love and Survival in the Shadow of the Holocaust"

LIEBESGRÜSSE AUS AUSCHWITZ

DIE INSPIRIERENDE GESCHICHTE DES ÜBERLEBENS, DER HINGABE UND DES TRIUMPHS ZWEIER SCHWESTERN. ERZÄHLT VON MANCI GRUNBERGER BERAN & RUTH GRUNBERGER MERMELSTEIN

DANIEL SEYMOUR

INHALT

ISBN 9789493322493 (eBuch)

ISBN 9789493322509 (Taschenbuch)

Verlag: Amsterdam Publishers

Copyright Text © Daniel Seymour, 2023

Übersetzt von Nino Raimondo Torricelli

Liebesgrüße aus Auschwitz ist Teil der Serie **Holocaust Überlebende erzählen**

Die englische Originalausgabe erschien 2021 unter dem Titel *From Auschwitz with Love* (Amsterdam Publishers).

VORWORT

„Liebesgrüße aus Auschwitz" erzählt von zwei Schwestern, Manci und Ruthie, und von der unzerstörbaren Familienbande, welche sie die Torturen von Auschwitz überstehen ließ. Am Ende war es eben diese unermüdliche Hingabe, die ihnen das Leben rettete.

Manci und Ruthie waren junge Mädchen, als sie gefangengenommen und nach Auschwitz gebracht wurden. Acht ihrer direkten Verwandten ereilte dasselbe Schicksal. Dazu gehörte auch ihre kleine Schwester, von den Nazis ausgesondert und ermordet.

Die beiden Schwestern haben sehr unterschiedliche Persönlichkeiten. Manci beschreibt sich selbst als entschlossen, eine „Macherin". Sie liebte die Schule und verdiente sich nach dem Krieg sogar einen Universitätsabschluss. Manci ist eine selbstständige und temperamentvolle Frau, die weder religiös noch dem Land Israel besonders verbunden ist, und sich stattdessen darauf konzentriert hat viel zu reisen und das Beste aus ihrem Leben zu machen. Sie hat sich durchweg um die drei Jahre jüngere Ruthie gekümmert, welche selbst schon immer eher nachgiebig und still war. Sie erfreut sich daran anderen zu helfen, sich um Kinder und Heim zu kümmern. Ruthie ist religiös und fühlt sich sowohl den jüdischen Traditionen als auch Israel verbunden. Beide Schwestern waren einander seit jeher bedingungslos ergeben. Das Band der Liebe zwischen ihnen war so stark, dass es ihnen die Hoffnung, den Mut und die Kraft verlieh Auschwitz zu überleben.

Das Buch beginnt mit den letzten Jahren des Zweiten Weltkriegs und einer Beschreibung jener ethnisch vielfältigen und toleranten Juden, welche in einer weit entfernten Region lebten (den Subkarpaten). Die Ungaren, eifrige Helfer der Nazis, verhängten Schritt für Schritt ihre eigenen brutalen und antisemitischen Maßnahmen, bis im April 1944 der Tag kam, an dem ein sogenannter „Privattransport" eine Gruppe von Juden einsammelte und unter entsetzlichen Umständen nach Auschwitz brachte. Man kann den Alltag eines Vernichtungslagers als jemand, der ihn nicht selbst erlebt hat, nicht wirklich in seinem vollen Schrecken erfassen. Trotzdem bringt dieses Buch die Stimmen derer zum Schweigen, die es noch immer wagen den Holocaust zu verleugnen oder zu trivialisieren.

„Liebesgrüße aus Auschwitz" enthüllt die wahre Natur der Nazi-Peiniger: sadistisch, verächtlich und brutal. Sie ließen Gefangene hungern, beraubten sie ihrer Menschlichkeit, demütigten und bestraften sie. Sie belogen sie, benutzten zynische und hinterlistige Beschönigungen[1] und verschleierten unablässig ihre verkommenen Taten. Sie waren selbstzufrieden in ihrer Grausamkeit und empörend in ihrer Machtausübung.

Viele Juden wussten von den Gaskammern, den Krematorien und den Sonderkommandos; einige bezeugten diese Verbrechen gegen die Menschlichkeit sogar mit ihren eigenen Augen. Andere waren naiv, konnten nicht glauben, was ihnen geschah. Trotzdem hörten sie nie auf zu hoffen. Doch war diese Hoffnung nicht genug, um jeden zu retten. Jene, die nicht länger die Kraft hatten, solch abscheuliche Gräuel durchzustehen, beendeten ihre Leben, indem sie sich gegen die Elektrozäune warfen, welche die Lager umgaben.

Am Ende des Krieges mussten Manci und Ruthie noch den Todesmarsch durchleiden. Es war ein absurder, unsinniger

Marsch, darauf abgezielt den „Marktwert" der Geiseln zu wahren. Viele starben, bevor sie von den Schweden befreit wurden. Mit Hilfe eines Onkels und einer Tante konnten Manci und Ruthie die Vereinigten Staaten erreichen; ihren sicheren Hafen, ihr Paradies.

Manci und Ruthie haben beide ihre Leben wiederaufgebaut und sie mit starken Beziehungen und einem liebevollen Familienbund erfüllt. Ihre Entschlossenheit, ihre Lebensfreude und ihr *Wille* halfen ihnen Verlust und Trauer zu überwinden und ermöglichten es ihnen sich in Amerika zu integrieren. Ruthie hat über ihre Deportation gesprochen, genau wie Manci (wenn auch widerwillig). Ihre Erzählungen enthüllen Fakten von unschätzbarem Wert für die akkurate Geschichtsschreibung.

Daniel Seymour hat ausführliche und bemerkenswerte Arbeit geleistet und einen weiteren ehrlichen und persönlichen Beitrag dazu geleistet, die Wahrheit über den Holocaust gegen Fehlinformationen zu verteidigen. Sein Werk ist das Resultat guter Recherche und bedient sich der Berichte einer Vielfalt von Historikern.

Es gibt viele Geschichten von Gefangenen aus Auschwitz. Dieses Buch bereichert jene Schilderungen durch seine präzise Beschreibung von den Erinnerungen der Schwestern. Ihre gegenseitige Zuneigung und starke Familienbande brachten eine Lebenseinstellung hervor, die sie ohne Zweifel gerettet hat. Diese Augenzeuginnen haben es geschafft alt zu werden, was ihre Leben nur umso wertvoller macht. Ihr Kampfgeist ist der Beweis für die Macht der Vernunft und die Beständigkeit universeller Werte.

Während dieser dunklen Zeit der Vierziger war auch ich ein jüdisches Kind und obwohl ich viele aus meiner Familie verlor, hatte ich Glück, weil ich versteckt war und meine Eltern überlebten. Ich bin Daniel Seymour unglaublich dankbar, nicht nur für seine strenge Recherche und vorsichtige Sammlung von Dokumenten, sondern auch für diese bewegende und ehrliche Darstellung des Holocaust.

- Danielle Bailly, Professor Emeritus Paris-Diderot, Herausgeber von „The Hidden Children of France, 1940-1945: Stories of Survival" (Übersetzung: Betty Becker-Theye)

PS. Da meine Muttersprache Französisch ist, möchte ich Nancy Vermès für ihre großzügige Hilfe bei dem Vorwort danken.

---

1. Vgl. Victor Klemperer, *Lingua Tertii Imperii*, Übersetzung von Elizabeth Guillot, Nachwort von Alain Brossat, Coll. Agora, Pocket, 1999 (1. Auflage 1947).

EINFÜHRUNG

Dies ist eine Liebesgeschichte. Manci und Ruthie Grunberger sind zwei Schwestern aus einer zehnköpfigen Familie, welche im tschechoslowakischen Mukačevo (später Munkács, Ungarn, nach der Invasion von 1938) lebte, einer kleinen Stadt am Fuße der Karpaten. In ihrer Jugend hatten sie das Glück die natürliche Zuneigung zwischen Eltern und ihren Kindern zu erleben. Umgeben von Geschwistern, Großeltern, Cousins und Cousinen in einem abgeschiedenen Umfeld vor dem Zweiten Weltkrieg, wurde diese Liebe Teil ihrer selbst und der Personen, zu denen sie heranwachsen sollten.

Die gesamte Familie Grunberger—Großmutter, Mutter und Vater, Onkel und acht Geschwister—wurden während des Holocaust nach Auschwitz geschickt. Nur Manci und Ruthie überlebten. Die Schwestern trafen drei weitere Mädchen in Auschwitz—ihre Cousinen Edith, Magda und Kis Magda. Zusammen überstanden sie das Lager und den darauffolgenden Todesmarsch, erholten sich in Schweden und ließen einander auch danach auf ihren verschiedenen Lebenswegen nie im Stich—eine ganz besondere Liebe.

Bei ihrer Ankunft in den USA wurden die Schwestern herzlich in dem sicheren Zuhause ihrer Tante Katie und ihres Mannes Harry aufgenommen. Es war ein kleines Stück Mukačevo, welches ihnen erlaubte nach vorne zu schauen. Und dort erwarteten sie zwei junge Männer, die ihre Ehemänner werden sollten. Ruthie heiratete Ernest Mermelstein und Manci heiratete noch im selben Jahr Kurt Beran. Beide Beziehungen waren von intensiver Loyalität geprägt, innige Verbindungen, die über sechs Jahrzehnte anhielten.

Es gibt auch eine höhere Form der Liebe—was die alten Griechen als *agape* bezeichneten. Eine selbstlose, bedingungslose Liebe, die sich durch endloses Mitgefühl auszeichnet. Absolute Akzeptanz übersteht individuelle Fehler und persönliche Unzulänglichkeiten. Manci und Ruthie verkörpern diese Art der Liebe, nicht wegen dem, was sie durchgemacht haben, sondern wegen der Personen, die sie geworden sind.

Sie sind zwei bemerkenswert erfolgreiche Frauen geworden, welche sehr unterschiedliche Lebenswege beschritten haben, mit bisweilen gegenteiligen Wertevorstellungen und ungleichen Interessen. Und doch ist ihre geschwisterliche Bande, aufgrund ihrer selbstlosen Liebe zueinander, über die Jahrzehnte hinweg nur noch stärker geworden.

Ihre Geschichte zusammenzusetzen war kein einfacher, geradliniger Prozess. Es hat vierzig Jahre gedauert. Ich habe Manci Beran kennengelernt, als mich meine Freundin Rhonda zu sich nach Hause einlud, um mich ihren Eltern vorzustellen. Ich hatte viel mit ihrem Vater Kurt gemeinsam. Er war einer Offizierslaufbahn in der Armee nachgegangen und ist dann zurück an die Universität von Oregon, wo er seinen Doktor gemacht hat. Als wir uns zum ersten Mal sahen, lehrte er an der Oregon State Universität.

Ich befand mich auf einem ähnlichen Lebensweg und war als ehemaliger Marine zurück aufs College gegangen, um dort einen Doktorgrad zu erlangen. Ich studierte im selben Programm an der Universität von Oregon wie Kurt, als ich auf Rhonda traf.

Manci arbeitete zu der Zeit. Ich weiß noch, dass sie erwähnte sie sei Tschechin, aber ihre Herkunft und Vergangenheit kamen zunächst nie wirklich zur Sprache. Sie hatte einen ausgeprägten Akzent. Erst viel später erwähnte Rhonda, fast schon nebenbei, dass Manci während des Zweiten Weltkrieges in einem Konzentrationslager gewesen war. Wir redeten zunächst nicht weiter darüber.

Als wir im Jahr 1983 heirateten, lernte ich zum ersten Mal Mancis Schwester Ruthie und ihren Mann Ernest Mermelstein kennen, welche für unsere Hochzeit aus New York nach San Francisco angereist kamen.

Jahre vergingen, in denen Rhonda und ich an die Ostküste und wieder zurück in den Westen zogen. Ich hatte eine ziemlich normale Beziehung zu ihrer Familie—zu Manci und Kurt, zu Rhondas Schwester Sandy und ihrem Mann Tracy. Es gab Feiertags-, Geburtstags- und Jubiläumsversammlungen sowie Ausflüge nach Vancouver in Kanada, wo Sandy und Tracy mit ihren drei Kindern Lauren, Cameron und Emma lebten.

In den späten Neunzigern sendete Ruthie mir und Rhonda eine Kopie ihres Buches „Beyond the Tracks: An Inspirational Story of Faith and Courage". Das signierte Exemplar liegt heute auf meinem Schreibtisch. Kurz darauf schickte Sandy uns ein Video von dem Interview, welches Ruthie einige Jahre zuvor in ihrem Zuhause in Brooklyn für die Shoah Foundation gegeben hatte. Es war ein fesselndes Erlebnis, weil es den Wörtern im Buch so viel zusätzliche Kraft verlieh. Zum ersten Mal hatte ich ein—wenn auch begrenztes—Gefühl dafür, was Manci und Ruthie als Kinder und Jugendliche im vom Krieg gebeutelten Osteuropa durchgemacht hatten. Außerdem machte es Auschwitz und den Holocaust für mich um einiges realer.

Jedoch war mein Wissen diesbezüglich noch immer sehr lückenhaft, weil es von nur einer Schwester kam—der Schwester, die sich entschieden hatte über ihre Erfahrungen zu sprechen und schreiben. Es war zu dieser Zeit, vor fast zwanzig Jahren, dass mein Interesse an Manci und Ruthies Geschichte wirklich zu wachsen begann. Diese Geschichte, welche einige in der Familie kannten, war auf ganz persönlicher Ebene von großer Wichtigkeit. Ruthies Kinder David, Evy und Zvi teilten ein Vermächtnis, welches sie durch die Geschichten von ihrer geliebten „Bubbe" an ihre Kinder weitergaben.

Was an mir nagte war aber die Frage, wieso Manci, meine Schwiegermutter, ihre eigene Geschichte nicht einmal ihren Töchtern erzählt hatte. Natürlich war es ihr Leben und es stand ihr frei darüber zu sprechen oder nicht. Keiner hatte das Recht deswegen über sie zu urteilen oder sie umzustimmen. Und wer war ich schon, mich bei einer so privaten und verständlicherweise traumatischen Angelegenheit einmischen zu wollen?

Es waren nie unbedingt die Einzelheiten ihrer Erfahrungen im Zweiten Weltkrieg, die mich am meisten interessierten. So unglaublich tragisch sie gewesen sind, ging ich davon aus, dass sie den Eindrücken der Unmengen von Menschen glichen, welche die Gräuel der Nazis miterlebt hatten. Dank der großartigen Arbeit von Forschern des Yad Vashem, des United States Holocaust Memorial Museums, der USC Shoah Foundation und den mutigen Schilderungen von Elie Wiesel, Viktor Frankl und vielen anderen Überlebenden, ist diese schriftliche und bildliche Historie auch bereits ausführlich aufgezeichnet. Stattdessen lag mein Fokus darauf, wie diese beiden jungen Mädchen jene Torturen nicht nur überlebt hatten, sondern danach als Erwachsene regelrecht aufgeblüht waren, indem sie sich ihre individuellen Leben aufbauten und dabei immerzu an der tiefen Verbindung zueinander festhielten.

Nach fast siebzig Jahren Ehe wurde Kurt Beran, Mancis Mann, im Jahr 2017 leider sehr krank. Als Rhonda und ich deswegen mehr und mehr Zeit bei Manci in San Diego verbrachten, bemerkte ich, dass unsere täglichen Unterhaltungen immer reflektierter wurden. Also traute ich mich an einem gewissen Punkt, das Thema anzusprechen: „Wärst du gewillt mit mir über dein Leben zu sprechen?" Obwohl sie die Idee nicht sofort enthusiastisch bejahte, entschieden wir uns einfach anzufangen und zu schauen wie weit wir kommen. Ich begann damit sie zu fragen, wie es war in der Tschechoslowakei aufzuwachsen.

Wir kamen einige Male ins Stocken, aber irgendwann fing ich an das Ganze aufzunehmen und explizitere Fragen zu stellen. Es war nie wirklich einfach, doch—genau wie in anderen Aspekten ihres Lebens—sobald sie sich entschieden hatte über ihre Erfahrungen zu sprechen, war sie voll dabei. Später willigte auch Ruthie ein mitzumachen und gelegentlich saßen wir zu dritt am Küchentisch und unterhielten uns einfach.

Im Endeffekt würde ich sagen, dass diese Geschichte eher organisch entstanden ist, als dass sie sorgfältig geplant wurde. Die einzelnen Schilderungen, die Verbindungen und Abweichungen, stellten sich nach Mancis Interviews heraus, weil sie Ruthies geschriebenen Worten einen Kontext gaben und ihre volle Bedeutung aufzeigten. Die größte erzählerische Wirkung hatte es natürlich, wenn die Schwestern zusammen mit mir sprachen. So kam die Essenz ihrer selbstlosen Liebe gänzlich und wunderschön zum Vorschein.

Jeder Abschnitt dieses Buches beginnt mit einem historischen Überblick, welcher den individuellen Erzählungen der Schwestern einen informativen Rahmen gibt. Dabei wurde nicht versucht eine auch nur ansatzweise vollständige Darstellung des Geschehens zu leisten. Tatsächlich ist es nicht mehr als ein Schnappschuss der Geschichte, welcher lediglich einige der grundlegenden Fakten bereitstellen soll, damit die Schilderungen der Schwestern einfacher zu verstehen sind.[1]

Manci und Ruthies Erzählungen sind über das gesamte Buch hinweg gleich organisiert. Jeder Abschnitt beginnt mit Manci und macht weiter mit Ruthie, woraufhin sie sich dann abwechseln. Die Zeitangaben ähneln sich und die Ereignisse selbst sind miteinander verwoben.

Es ist wichtig hierbei anzumerken, dass die Erzählungen nahezu ausschließlich die Stimmen der Schwestern wiederspiegeln, mit nur geringfügigen Änderungen, um die Übergänge zu vereinfachen. Mancis Memoiren setzen sich aus nur zwei Ressourcen zusammen. Ein Großteil ihrer Geschichten stammen aus den vielen Interviews, die wir zusammen durchgeführt haben, sowohl individuell als auch mit ihrer Schwester. Ruthies Memoiren bestehen ebenfalls aus unseren Interviews sowie ihrem Buch „Beyond the Tracks" und ihrem Interview mit der Shoah Foundation.

All diese Quellen wurden Wort für Wort übernommen, auch wenn sie nicht als solches zitiert werden, mit einer wichtigen Ausnahme: Tagebucheinträge, welche die Schwestern in Schweden verfasst hatten, nachdem sie befreit worden waren, sind als solches auch vermerkt. Nur wenige Tage nach ihrer Befreiung aus den Fängen der SS nahe der Grenze zu Dänemark, half das Rote Kreuz ihnen nach Schweden zu gelangen. Sie waren ausgemergelt. Die sofortige Hilfe bestand aus Nahrungszufuhr und physischer Rehabilitation. Doch sie befanden sich außerdem in Quarantäne und das Rote Kreuz verstand, wie wichtig es war auch psychologische Unterstützung für die befreiten Menschen, die in das Land kamen, zu leisten. Also ermutigten sie die Befreiten ihre Erfahrungen und Gefühle in einem Tagebuch niederzuschreiben. So kam es zum Verfassen der „Erinnerungstagebücher nach der Befreiung" oder *Naplo* (Tagebuch) auf Ungarisch. Ruthie begann ihr *Naplo*, indem sie schrieb: „Erst zwei Tage sind vergangen, seitdem ich durch das Tor der Freiheit geschritten bin." Manci begann mit: „Es ist am ersten Tag meiner Freiheit, im Mai des Jahres 1945, dass ich anfange hierin zu schreiben." Beide setzten sich offensichtlich bereits mit ihrer neugefundenen Freiheit auseinander, weswegen Tagebücher wie diese mit solch emotionaler Unmittelbarkeit erfüllt sind.

Ruthies *Naplo* ist fast dreißig Seiten lang. Mancis ist deutlich kürzer. In meinem Interview mit Manci erklärte sie: „Mein Tagebuch in Schweden; nach fünf Seiten hörte ich auf, weil ich es nicht ertragen konnte. Ich konnte es einfach nicht. Fünf Seiten und ich konnte nicht mehr." Es ist durchaus von Bedeutung festzustellen, wie früh die Schwestern sich für unterschiedliche Verarbeitungsmethoden entschieden, welche es ihnen erlaubten in ihren späteren Leben ihr Glück zu finden. In meinem ersten Interview mit beiden zusammen sagten sie:

Manci: „Na gut, Daniel, wir können ein wenig über unsere Leben sprechen. Es scheint mir nicht besonders interessant. Menschen haben so viel schlimmeres durchgemacht. Weißt du, Ruthie, du solltest anfangen, denn du erzählst regelmäßig davon und erinnerst dich bestimmt besser."

Ruthie: „Ich wünschte ich würde mich nicht erinnern."

Manci: „Ich weiß. Ich habe es durchlebt, aber du durchlebst es noch immer."

Ich hatte Zugriff auf eine ziemlich einzigartige Ansammlung von Fotos. Die meisten jüdischen Familien wurden gewaltsam aus ihren Heimen gezerrt und konnten nur wenige Habseligkeiten mit sich nehmen. Daher gingen viele Familienbilder für immer verloren. Die Schwestern hatten das Glück Tante Katie zu haben. Über die Jahre hinweg wurden Bilder der Grunberger Familie aus dem Kriegsgebeutelten Europa gerettet und über den Atlantik gebracht, wo sie in Katies Obhut in Philadelphia landeten. Katie und Harry wurden nicht nur die Schutzengel ihrer traumatisierten Nichten, sie wurden auch die Behüter von vielen dieser Fotografien.

Ich konnte mich eines einmaligen Luxus erfreuen. Manci und Ruthie waren skrupellose Editorinnen ihrer eigenen Geschichten.

Sie hielten sich bei der Bearbeitung erster Entwürfe nicht zurück und hatten natürlich immer das letzte Wort.

Ich hege die Hoffnung, dass uns Manci und Ruthies Memoiren an die große Verpflichtung erinnern, sich mit den Ursachen und Ereignissen des Holocaust auseinanderzusetzen. „Nie wieder" muss tief in den Werten unserer heutigen Gesellschaft verankert werden, sodass wir einen klaren Blick darauf behalten, wozu das schlimmste in uns fähig ist.

Gleichzeitig hoffe ich, dass ihre bewegenden Geschichten das Beste in uns wiederspiegeln. Viktor Frankl, ein weiterer Überlebender von Auschwitz, hat es vielleicht am besten ausgedrückt: „Alles kann einem Menschen genommen werden, bis auf eine einzige Sache: die letzte menschliche Freiheit—in jeder Situation die eigene Haltung zu wählen und seinen eigenen Weg zu gehen." Manci und Ruthie Grunberger aus Mukačevo überlebten als ein vereinter Geist und wählten doch ihre ganz eigenen Wege das Glück zu finden: „Liebesgrüße aus Auschwitz".

- Daniel Seymour, Palm Springs, Kalifornien

*Familienfoto von Ancsis Bar Mitzvah im Jahr 1937—Emma Grunberger (links),
Ruth (hinten links), Manci (hinten mittig), Ancsi (hinten rechts), Esther (vorne
links), Baruch (vorne mittig), Nuti (vorne rechts) und David (Vater).*

---

1. Die Quellen für alle Abschnitte sind im Quellenverzeichnis vermerkt.

TEIL I

ES FEHLTE AN NICHTS

1925-1937

Mukačevo war eine Stadt in der Tschechoslowakei, welche als Wirtschaftszentrum einer Region Osteuropas fungierte, die zwischen den Karpaten und der ungarischen Steppe lag. Vor dem Ersten Weltkrieg gehörte die Region zum Habsburgerreich. Nach dem Fall dieses Reiches, wurde sie Teil der neuen Republik der Tschechoslowakei. Mukačevo blieb bis 1938 unter der Kontrolle der Tschechoslowakei, als Ungarn, nach dem Ersten Wiener Schiedsspruch, die südwestlichen Subkarpaten zugesprochen wurden, wozu auch die Stadt Mukačevo gehörte, welche daraufhin zu Munkács umbenannt wurde.

Ein wichtiger Aspekt des Lebens in den Subkarpaten war wie isoliert die Region vom Rest Europas—und somit vom Rest der Welt—war. Abgesehen von Holz gab es dort nur wenige natürliche Ressourcen und die Industrie war noch nicht sehr fortgeschritten. Während ein Großteil des umliegenden Areals von Agrar- und Holzwirtschaft dominiert wurde, florierten in Mukačevo das Bank- und Gerichtswesen sowie eine Reihe kaufmännischer Gewerbe.

In der Region waren eine Vielfalt von ethnischen Gruppen vertreten. Die Mehrheit der Population setzte sich aus Ruthenen

(Russen oder Ukrainer und entweder griechisch-katholisch oder orthodox), aber auch Magyar (Ungaren), Slowaken, Rumänen, Deutschen, Tschechen, Polen und Roma zusammen. Juden waren ein großer und wachsender Bestandteil der subkarpatischen Bevölkerung und in Mukačevo war die beträchtlichste jüdische Gemeinde der Region ansässig. Etwa vierzig Prozent der Einwohner der Stadt waren Juden.

Die jüdische Gemeinde selbst war relativ fragmentiert. Während die meisten Juden einem traditionellen, religiösen Leben nachgingen, betrachteten ungarische Juden sich selbst vor allem als Ungaren. Außerdem gedieh in Mukačevo eine zionistische Jugendbewegung. Ein Hebräisches Gymnasium war das Kronjuwel des zionistischen Bildungssystems. Im Jahr 1938 hatte die Schule 390 männliche und weibliche Schüler.

In den Subkarpaten gab es zu dem Zeitpunkt keine ausgeprägten antisemitischen Strömungen. Vor der ungarischen Übernahme im Jahr 1938 und dem Zweiten Weltkrieg wurden die Beziehungen zwischen Juden und dem Rest der ethnisch diversen Bevölkerung generell als „friedlich" beschrieben.

Strabychovo

25. September 1925 — Manci

Ich kam auf einer Farm in der tschechoslowakischen Ortschaft Strabychovo zur Welt. Das war im Jahr 1925. Kurz vor meiner Geburt reiste meine Mutter Emma Berger von Mukačevo, wo wir lebten, zu ihren Eltern nach Strabychovo. Ein Jahr zuvor war mein älterer Bruder Anshel—wir nannten ihn Ancsi—ebenfalls da geboren, weil meine Mutter dort auf die Unterstützung ihrer Familie bauen konnte.

Das Städtchen war nur fünfzehn Kilometer von Mukačevo entfernt. Mit dem Zug brauchte man etwa dreißig Minuten. Sie lag direkt neben einer anderen Kleinstadt namens Gorond. Hin und her zu reisen war zu der Zeit kein Problem—es gab weder Grenzen noch Wachen oder Papiere—obwohl es seit dem Ersten Weltkrieg und dem Fall des Habsburgerreiches ein umstrittenes Gebiet war.

Die Farm in Strabychovo, auf der ich geboren war, gehörte meinen Großeltern mütterlicherseits. Sie hießen Chaim Moshe und Pepe Berger und für beide war es die zweite Ehe. Sie besaßen ein großes Stück Land, auf dem Farmpächter arbeiteten. Mein Großvater hatte drei Kinder von seiner vorherigen Frau und meine Großmutter hatte eines, Katie, welche Jahre vor meiner Geburt in die USA ausgewandert war. Miteinander hatten sie drei Söhne und meine Mutter, das jüngste Kind der Familie.

Der Name meines Vaters war David Grunberger. Seine Eltern waren auch bereits zum zweiten Mal verheiratet. Er hatte vier Brüder, alle aus der ersten Ehe, und eine Schwester, die verstarb bevor ich geboren wurde. Ich habe meine echte Großmutter Manci —nach der ich benannt wurde—nie kennengelernt.

Zusammen mit zwei seiner Brüder, Mordechai und Sigmund, führte mein Vater ein Lebensmittelgeschäft in Mukačevo. Eliah, ein weiterer Stiefbruder, lebte in Ilosva, welches südlich von Mukačevo gelegen war und wo er einen Holzplatz besaß. Dort besuchten wir ihn und meine Cousins und Cousinen regelmäßig.

Ich hatte meinen Onkel Shmuel unglaublich gern. Er lebte in der ungarischen Stadt Nyíregyháza, wo er wie mein Vater ein Lebensmittelgeschäft führte. Ab und zu verbachte ich dort meine Ferien. Onkel Shmuel war verheiratet, hatte jedoch keine eigenen Kinder. Vielleicht hat er es deswegen so geliebt, wenn ihn seine Nichten und Neffen besuchen kamen. Er hatte einen großartigen Sinn für Humor; er war durchgehend am lachen.

Zusätzlich zu seinen vier Brüdern hatte mein Vater eine Schwester namens Giza. Sie heiratete und zog nach Beregszász, ein nahe angelegener Ort südlich unserer Stadt. Auch sie besuchten wir ab und an. Tante Giza bekam fünf Töchter und einen Sohn.

Als meine Eltern heirateten, war mein Vater dreiundzwanzig und meine Mutter achtzehn. Wir lebten in einem großen Haus auf der Dankostraße, in der selben Gasse wie mein Großvater väterlicherseits und seine Frau. Obwohl wir in der Tschechoslowakei lebten, sprachen wir Jiddisch und Ungarisch statt Tschechisch. Von der jeweiligen Konversation abhängig sprach ich meine Eltern auf Jiddisch mit Mammy und Tatty an oder gebrauchte die liebevollen Kurzformen Anya und Apa für die ungarischen Wörter Anyuka und Apuka.

Ich betrachtete mich selbst zu dieser Zeit als vom Glück gesegnetes Kind mit wundervollen Eltern und einer großen Familie mit Großeltern, Onkeln und vielen Cousins und Cousinen. Meine Eltern und wir Kinder saßen so gut wie nie allein am Esstisch; er war stets mit Angehörigen unserer Großfamilie gefüllt.

Vor 1938, als die Ungarn unseren Teil des Landes übernehmen sollten, führten wir ein sehr simples, friedliches und ruhiges Leben. Es gibt darüber nicht allzu viel zu erzählen, denn rückblickend erscheint es einfach genau so, wie Kinder eben aufwachsen sollten.

Mukačevo

27. Februar 1928 — Ruthie

Ich wurde am 27. Februar 1928 in der tschechoslowakischen Stadt Mukačevo geboren. Meine Eltern hatten bereits zwei Kinder: meinen Bruder Ancsi, welcher vier Jahre alt war, und meine Schwester Manci, die zweieinhalb war.

Meine Eltern gaben mir den Namen Regina Rella, aber ich hatte Regina nie wirklich gemocht. Als ich zur Schule ging, nannte man mich nur noch Rella. Mein jüdischer Name war Rivka und schwierig auszusprechen, also riefen mich alle bei anderen Namen, weswegen ich oft anfing zu weinen. Manci nannte mich damals Ipi.

Ich war ein sehr molliges Baby und war durchweg am schlafen. Meine Mutter saß immerzu an meiner Seite und horchte meinem Atem, um sicher zu gehen, dass ich noch lebte. Ich weinte nie und musste fürs Füttern geweckt werden. Mein Gesicht war so pummelig, dass meine Augen immer zugekniffen waren. Ich liebte es zu essen und mit dem älter werden versuchten meine Eltern mich regelmäßig auf Diät zu setzen. Ich beneidete Manci dafür, alles essen zu können, was sie wollte, ohne dick zu werden. Selbst als sie älter wurde, blieb sie weiterhin ein sehr schlankes Mädchen, so sehr, dass unsere Mutter ihr sogar absichtlich fettmachendes Essen und Fischleberöl gab, doch nichts schien zu helfen.

Mukačevo war die größte Stadt in der Region, aber trotzdem eher klein. Es schien etwa gleich viele Tschechen und Ungaren zu geben und noch viele andere Volksgruppen dazu. Doch vielleicht ein Drittel der Bevölkerung waren orthodoxe Juden und sie waren eine eng verbundene Gemeinschaft.

Innerhalb der Stadt konnte man überall zu Fuß hingehen. Unsere Straße hatte zwei Bäckereien. Freitags brachten wir unseren Kugel und Tscholent zu den Öfen der Bäckerei und holten sie vor der Schabbat-Mahlzeit ab. Es gab einen Lebensmittelladen in der Jiddischen Gasse, wo Kinder Essenspakete kaufen konnten, worin sich Süßigkeiten und Spielzeug befanden. Was für ein Spaß! Der Fischverkäufer und das *Shlocht Hoize*, wohin man seine Hühner und Gänse zum *Shechten* brachte, waren auch in der Jiddischen Gasse.

Gegenüber des Fischhändlers befanden sich die Mikwe und ein weiteres großes Gebäude, ein Badehaus, dass wir das „Spa" nannten. Nur Frauen waren da erlaubt und manchmal gingen wir Sonntags dort hin. Es gab verschiedene Becken, jedes mit unterschiedlichen Temperaturen. Im Anschluss konnte man duschen, sich strecken und wurde dann in Tücher eingewickelt.

Der Schuster und der *Shaitel Macher* befanden sich auf der Galusstraße, genau wie der Kindergarten, den wir besuchten. Unsere Lehrerin war eine Cousine meiner Mutter. Die tschechische

Grundschule, auf die ich ging, lag auf der Zrinyistraße. Alle Lehrer waren nett zu den jüdischen Schülern.

In Mukačevo gab es keine Bais Yaakov oder orthodoxe Grund- und Sekundärschulen für Mädchen. Wir hatten einen Tutor, der uns das hebräische Alphabet—das *Aleph Beis*—und das *Daven* oder Beten beibrachte. Sonntags traf sich eine Bais Yaakov-Gruppe, welche aus etwa zwanzig Mädchen bestand, die um einen langen Tisch saßen. Unsere Lehrerin Rivka Nanie lehrte uns jüdische Geschichte, lesen und *daven*.

Ich hatte eine wundervolle Kindheit. Ich kann mich nicht daran erinnern, je etwas gewollt zu haben, dass ich nicht hatte.

David Grunberger, der Lebensmittelhändler

1929 — Manci

Ich war etwa vier Jahre alt, als ich meinen Vater zum ersten Mal bei der Arbeit besuchte: „David Grunberger, Spezerei und Colonialwaren Grosshandlung". Das Geschäft importierte Tee, Reis, Mandeln, Kaffee und Pfeffer. Mein Vater, Mordechai und Sigmund verkauften ihre Güter in der ganzen Region. Sie hatten drei Standorte, aber der wichtigste war in der Masarykstraße, mit Wohnungen über dem Laden. Dort lebte Mordechai mit seiner Frau Basche. Sie hatten keine Kinder, daher blieb ich ab und zu bei ihnen. Mein Onkel war ein Gentleman, ruhig und freundlich. Einmal, als ich an Scharlach erkrankt war, verbrachte ich *Jom Kippur* bei ihnen. Eigentlich soll man zu der Zeit natürlich fasten, aber der Arzt meinte ich müsse Medizin zu mir nehmen. Nachdem mein Vater und Mordechai die Zusage des Rabbis eingeholt hatten, verwöhnten mich meine Tante und mein Onkel wie eine Prinzessin, bis ich wieder gesund war.

Jeder der drei Inhaber füllte eine eigene Rolle in dem Betrieb. Mein Vater war der Chef und kümmerte sich um die Buchhandlung, während Mordechai für das Verpacken zuständig war und bei der Lieferung half. Onkel Sigmund (wir nannten ihn Onkel Shia) muss sich um den Verkauf gekümmert haben, denn er war immerzu auf Reisen.

Ihr Laden auf der Masarykstraße glich einer Art Tunnel. Er war so groß und schien kein Ende zu haben, als ich ein kleines Mädchen war. Das Geschäft verkaufte nicht an Privatpersonen, daher war es einfach nur ein Raum gefüllt mit Fässern. Dahinter lagen Büros, in denen mein Vater und eine Aushilfe die Buchhaltung führten. Zumeist waren Leute vor Ort, die beim Sortieren und Fahren halfen. Dann war Außerhalb noch ein großer Hof, der zwei Häuserblocks lang war. Dort gab es sogar einen Garten, den Tante Basche angepflanzt hatte.

Der einzige Tag, an dem wir zum Geschäft meines Vaters kommen durften, war Freitag. An den anderen Tagen waren alle zu beschäftigt mit dem Laden und Verschicken der Bestellungen. Wir gingen nach hinten und stopften unsere Taschen voll mit Erdnüssen, Schokolade und Rosinen. Es war einfach toll.

Der Laden war immer zwischen zwei und vier Uhr geschlossen. Manchmal blieb mein Vater die Zeit über dort und wir brachten ihm Essen in einer Thermosflasche, welche aus drei aufeinandergestapelten Behältern bestand. Meine kleine Schwester Ipi und ich liebten es, ihm Essen in den Laden zu bringen, weil er nach seiner Mahlzeit immer mit uns spazieren ging.

Wir hatten sogar einen Lastwagen, aber ich habe mich nie reingesetzt. Der Wagen war ausschließlich fürs Geschäftliche, weil man auf den Weg zu den vielen kleinen Städten eine so große Distanz hinter sich bringen musste. Mein Vater lieferte Lebensmittel bis an die polnische Grenze. Der Betrieb verkaufte nicht nur an Juden—er belieferte alle möglichen Menschen in der Region. Manchmal kauften sogar Priester bei uns ein und wir hatten eine äußerst freundliche Beziehung zu ihnen. Ab und zu besuchten wir sie auch bei ihnen auf der anderen Seite des Flusses Latorica. Während mein Vater mit den Priestern sprach, aßen wir Trauben aus ihrem Garten.

Jeder mochte meinen Vater; er war jedem gegenüber so freundlich und lauschte immerzu den Sorgen und Bedürfnissen seiner Kunden.

Unsere Großeltern mütterlicherseits, Chaim Moshe und Pepe Berger, auf ihrer Farm in Strabychovo, als Tante Katie (hinten mittig) zu Besuch aus Amerika da war (1937).

David Grunberger und Emma Bergers Verlobungsfotos (1920).

*Mutter mit Baby Esther, Nuti (vorne), Ruth (links) und
Manci (1930).*

*Unser Großvater väterlicherseits, Chaim Shlomo (mittig), mit seinen
Brüdern Eliahu und Shmuel in Mukačevo (etwa 1935).*

Manci in ihrer Uniform für die Royale Ungarische
Betriebswirtschaftsakademie (1944).

Das schönste Mädchen in Mukačevo

1932 — Ruthie

Ich erinnere mich noch sehr gut daran, als meine Mutter im Mai 1932 ein weiteres Mädchen zur Welt brachte: Esther. Sie war ein wunderschönes Kind, mit blondem Haar und großen, blauen Augen. Alle sagten immer wieder, dass sie zum schönsten Mädchen in Mukačevo heranwachsen würde.

Mein kleiner Bruder Nuti war zwei Jahre zuvor im Juni 1930 geboren. Er war ein sehr artiges Baby und weinte so gut wie nie. Im April 1934 kam das nächste Kind zur Welt: Baruch. Er hatte dunkle Augen und hübsche, blonde Locken. Als Kleinkind liebte er es Fassringe den Gehweg runterzurollen. Er vergaß beim Spielen mit seinen Freunden oft die Zeit und bekam häufig Ärger, weil er zu spät zum Essen erschien.

Unser Haus war voller Aufregung, wann immer meine Mutter ein neues Baby bekam. Sobald ich alt genug war, half ich ihr die Kleinen anzuziehen, zu baden und zu füttern. Eine meiner größten Freuden war es, das Baby für einen Spaziergang im Kinderwagen mit nach draußen zu nehmen, wo ich die Nachbarn stolz und glücklich grüßte. Der Wagen wurde von einem Kind zum nächsten gegeben.

Ich freute mich auch immer darauf, meiner Mutter bei der Vorbereitung für Schabbat zu helfen, indem ich den Teig für die Challa knetete. Ich war von solchem Glück erfüllt, wenn wir alle um den Esstisch saßen und Vater beim aufsagen des *Kiddusch* lauschten. Wir sangen *Zemiros* und unterhielten uns. Ich war einfach so froh diese Momente als Familie zu teilen.

Noch heute sehe ich vor meinem inneren Auge, wie die achtzehn flackernden Kerzen hell vom silber glänzenden Kandelaber meiner Mutter herableuchteten und verworrene Muster an die Wand warfen.

Wir hatten immer jemanden zu Gast. Es gab eine große *Jeschiwa* in unserer Stadt und einige der kleineren Gemeinden in der Region schickten ihre Jungen dort hin. Diese *Jeschiwa*-Jungs hatten ihre eigenen Unterkünfte, aber die jüdischen Familien in Mukačevo luden sie in ihre Heime zum Essen ein. Jede Familie hatte ihren Tag, also hatten auch wir sie einmal pro Woche an unserem Tisch.

Am Schabbat waren die Geschäfte in Mukačevo geschlossen und die Menschen schlenderten in ihren feinen Trachten die Hauptstraße entlang. Meine Freunde und ich trafen uns an den Nachmittagen des Schabbat und spielten verschiedene Spiele— „gerade oder ungerade" mit Walnüssen oder Samen, ein Bowling-Spiel oder mit Puppen. Meine kleinen Geschwister—Esther, Nuti und Baruch—nahm ich oft mit, damit unsere Eltern ein wenig Ruhe hatten. Bevor wir am Freitag zu Bett gingen, legten Manci und ich die Schabbat-Kleidung der Jungs raus, da sie am nächsten Morgen sehr früh in die *Shul* mussten.

Wir hatten großen Respekt vor unseren Eltern. Wenn Mutter und Vater am Nachmittag des Schabbat ein Nickerchen machten, gingen wir nur auf Zehenspitzen umher und flüsterten einander zu, um sie nicht aufzuwecken. Wenn wir im Sommer draußen im Hof spielten und die Fenster auf waren, sprachen wir nur sehr leise, damit wir sie nicht störten. Ich hatte einfach großes Glück in einer so wundervollen Familie aufzuwachsen.

Polgari

1935 — Manci

Ich bin für vier Jahre auf eine normale Grundschule gegangen und dann für fünf weitere auf die Sekundärschule, welche wir *Polgari* nannten. Ich konnte es nicht erwarten auf die *Polgari* zu gehen. Für neun Jahre galt für alle Schulpflicht. Danach lag es an einem selbst, wie man sich weiterbildete, aber unter jungen Mädchen war ein fortgehendes Studium nicht die Norm. An unserer tschechischen Schule gab es tschechische, ungarische und jüdische Schüler.

Mukačevo war für seine Schulen berühmt. Die kleinen umliegenden Dörfer schickten ihre Kinder zum Lernen in unsere Stadt. Sie hatte sogar ein exzellentes Hebräisches Gymnasium, welches in der gesamten Region bekannt war.

Hendu, meine Cousine aus Strabychovo, war fünf Jahre älter als ich und in Mukačevo auf die *Polgari* gegangen. Ich war gerade auf die Schule gekommen, als sie ihren Abschluss machte. Sie war so intelligent und clever und ich wollte einfach in der Schule bleiben und so sein wie sie.

Meine beste Freundin Frici war acht Monate älter als ich. Ihre Familie hatte nicht viel Geld und ihre Eltern waren etwas älter. Ihre beiden großen Brüder waren ihre Beschützer und liebten ihre kleine Schwester sehr. Obwohl sie ziemlich weit weg von mir wohnte, kam Frici häufig bei uns zum Essen vorbei. Es war fast als hätten meine Eltern sie adoptiert. Sie aß jeden Samstagabend bei uns, wonach sie und ich zu ihr nach Hause spazierten und uns unterhielten. Falls wir ankamen und unser Gespräch noch nicht beendet war, kehrten wir um und gingen zurück, bis wir fertig waren.

Wir gingen in den selben Kindergarten, die selbe Grundschule und die selbe *Polgari* und dann gingen wir sogar zusammen auf die Akademie für Betriebswirtschaftslehre, wo wir einige Jahre später zur selben Zeit unseren Abschluss machten. Frici und ich waren immer die besten an jeder Schule. Entweder sie war die Nummer eins und ich die Nummer zwei oder andersherum. Sie war genauso verrückt nach dem Lernen wie ich. Vielleicht waren wir all diese Jahre deswegen beste Freundinnen.

Ich habe die Schule geliebt. Ich liebte einfach alles daran. Die Grundschule war nur einen Häuserblock von meinem Zuhause entfernt gewesen. Die *Polgari* war etwas weiter weg, aber noch immer gut zu Fuß zu erreichen. Der Schulalltag dort war sehr durchstrukturiert und anspruchsvoll. Wir hatten immer eine Menge Hausaufgaben und mussten viel lernen. Ich glaube nicht, dass ich je nachhause kam, ohne dass Hausaufgaben für den nächsten Tag in meinem Notizheft standen.

In der Schule wurde tschechisch gesprochen, aber zuhause sprachen wir Ungarisch und Jiddisch. Meine Eltern wurden vor 1918 geboren, als die Region noch Teil Ungarns war. Alle älteren Leute sprachen Ungarisch und es gab viele Magyaren—ethnische Ungaren—in unserem Gebiet. Dann gab es noch die Menschen außerhalb von Mukačevo. Sie sprachen noch eine andere Sprache und waren, glaube ich, griechisch-orthodox, mit russischen und ukrainischen Wurzeln. Sie waren ein sehr raues Volk, fast schon rückständig, und lebten hauptsächlich nördlich von uns auf kleinen, verstreuten Farmen, die sich bis zur polnischen Grenze erstreckten. Gelegentlich kamen sie in die Stadt, um Essen zu verkaufen und in den Geschäften einzukaufen. Sie waren anders, aber es machte nichts, denn wir alle pflegten trotzdem ein gutes Miteinander.

Zrinyistraße

1936 — Ruthie

Ich freute mich sehr, als wir in unser neues Haus zogen. Als ich klein war, lebten wir zusammen mit meinen Großeltern in einem Haus am Ende einer Sackgasse. Sowie die Familie wuchs, zogen wir in unser eigenes Heim, ein großes Haus mit acht Zimmern und dem Haupteingang an der Zrinyistraße.

Das L-förmige Gebäude war von einem hölzernen Tor umgeben. Es gab einen großen Hof mit schmalen Gärten auf beiden Seiten, wo Mutter viele schöne Blumen anpflanzte. Sie liebte Blumen. Ein anderer Teil des Gebäudes wurde an zwei Betriebe vermietet— einen Lebensmittelverkäufer und einen Schneider.

Man betrat unser Haus durch eine Vorhalle. Rechts davon war eine Küche mit Waschbecken und interner Wasserversorgung. Der Küchentisch war etwas ganz besonderes und konnte zu einem Bett für das Dienstmädchen umgewandelt werden. In der Eingangshalle gab es eine Gefriertruhe und dann noch einen separaten Kühlraum. Eine Sache, die wir nicht hatten, war ein Badezimmer. Stattdessen gab es ein Toilettenhäuschen hinter dem Gebäude. Wir hatten einen Holzschuppen, einen Gemüsegarten und einen Hühnerstall im Hof. Links von der Vorhalle gab es ein geräumiges Esszimmer mit Tischen und Stühlen, einer Couch und einem Bett. Einen Wandschrank und einen Kachelofen hatten wir auch. Eine schöne Besonderheit des Hauses war eine Einrichtung aus grauem Marmor, bei der wir *Netilat Jadajim*—die rituelle Waschung der Hände—durchführen konnten. Auf einer Seite des Esszimmers befanden sich Schlafzimmer, das größte davon ganz am Ende, mit einem Kinderbett darin.

Für eine Weile hatten wir Mieter bei uns, von denen einer ein Taxi fuhr, welches er an einem geschützten Ort am Haus parken konnte. Als die Familie weiter wuchs, wurde es immer enger im Haus, sodass wir Kinder irgendwann im Esszimmer schliefen. Doch dann bat mein Vater endlich die Mieter auszuziehen, weil wir den Platz brauchten.

Wir hatten immer ein Dienstmädchen, die meine Mutter unterstützte. Keiner von uns wurde übermäßig verwöhnt, doch das Dienstmädchen flocht uns die Haare und polierte unsere Schuhe. Sie half meiner Mutter in der Küche und machte jeden Morgen ein Feuer. Uns Kindern war es jedoch nicht erlaubt sie um irgendetwas zu bitten.

Ich erinnere mich an ein Dienstmädchen namens Bella, welches besonders lange bei uns war und uns Schlaflieder vorsang. Sie lebte fünf Jahre bei uns, bis sie zu ihrer Schwester nach Belgien zog. Ein anderes Mädchen, Sarah, war vier Jahre bei uns und heiratete dann, wonach sie trotzdem häufig zu Besuch kam und ihre eigenen Kinder mitbrachte.

Wir hatten auch eine Christin als Dienstmädchen. Sie hieß Piroska und ich mochte wie sie mir die Haare morgens vor der Schule kämmte. Jedermanns Schuhe waren poliert und standen in Reih und Glied. Auch sie machte jeden Morgen ein Feuer. Später, um 1943 herum, schickten wir sie weg, weil Vater sich Sorgen um ihre Sicherheit machte; er fürchtete eine Christin als Dienstmädchen zu haben könnte ein echtes Problem werden.

Drei Mal die Woche—Montag, Mittwoch und Freitag—war *Marktug* oder Markttag, an dem Bauern aus den umliegenden Dörfern nach Mukačevo kamen. Wenn sie an unserem Haus vorbeikamen, kauften wir ihnen Früchte, Gemüse und Eier ab.

Viele der jüdischen Einwohner besaßen Geschäfte und verkauften Textilien, Möbel und Trockenware. Einige waren Schneider und Bäcker. Die Bauern kauften bei ihnen ein und kehrten dann Heim, um sich um ihre Höfe zu kümmern.

Als ich klein war, war das Leben in Mukačevo ausgesprochen harmonisch.

TEIL II

EIN STURM ZIEHT AUF

1938-1944

Im September 1938, nach dem Münchner Abkommen und den darauffolgenden Bestimmungen, wurde das Sudetenland der westlichen Tschechoslowakei an Deutschland übergeben. Einige Monate später annektierte Ungarn Mukačevo und das umliegende Gebiet der südwestlichen Subkarpaten. Die ungarische Armee erreichte Mukačevo am 10. November 1938.

Viele Juden, insbesondere die ältere Generation, reagierten zunächst positiv auf die wiederhergestellte Herrschaft der Ungaren, weil sie mit guten Erinnerungen an das Habsburgerreich vor dem Ersten Weltkrieg zurückdachten. Doch die neuen ungarischen Autoritäten begannen fast sofort Juden zu diskriminieren und verfolgen.

Eine ungarische Gendarmerie wurde permanent nach Mukačevo versetzt, welches fortan Munkács genannt wurde, und die ungarischen Autoritäten erhoben eine Reihe an Gesetzen, welche unter anderem die Anzahl jüdischer Schüler an Schulen begrenzten und Geschäfte von Juden und Nicht-Ungaren konfiszierten. Die Belästigung und Verfolgung von Juden—vor allem von Männern mit auffälligen Bärten—wurde zur Normalität in den Straßen von Munkács. Physische Gewalt und Raubüberfälle wurden allgemein geduldet. Festnahmen für kleine Verstöße und aggressive Verhöre verbreiteten sich wie ein Lauffeuer.

Die Idee eines „Großen Ungarns"—der Wiedergewinn ehemaligen Territoriums und die systematische Aussonderung von Minderheiten—erreichte ein Hoch, als sich Ungarn im Jahr 1940 offiziell Nazi-Deutschland und den Achsenmächten— Deutschland, Italien und Japan—anschloss. Im nächsten Jahr standen die Ungaren Deutschland bei der Invasion Jugoslawiens und der Sowjetunion bei.

Viele junge Juden wurden zur Zwangsarbeit in den Rängen des ungarischen Militärs eingezogen. Außerdem nutzte die ungarische Regierung den Krieg, um weitläufige Deportationen von Geflüchteten und Juden, die keine ungarische Staatsbürgerschaft besaßen, in den Subkarpaten zu implementieren.

Nachdem die Kriegsanstrengungen gegen die Sowjetunion ins Stocken geraten waren, versuchte Ungarn separat einen Waffenstillstand mit den Alliierten auszuhandeln. Als Antwort darauf fielen deutsche Truppen am 19. März 1944 in Ungarn ein— bei den einstigen Verbündeten. Innerhalb weniger Wochen wurden die Juden in Munkács und den umliegenden Gebieten in zwei Fabriken gezwängt, welche fortan als Ghettos dienten. Die Endlösung der Nazis—die Vernichtung aller europäischer Juden— hatte begonnen.

Die Parade

November 1938 — Manci

Ich war dreizehn, als die Ungaren kamen. Während sich der Rest der Welt auf Deutschlands Expansion konzentrierte, rückte Ungarn in die südliche und östliche Tschechoslowakei, einschließlich Mukačevo, vor. Es gab eine Militärparade und einige Leute—die meisten davon älter—kramten alte Fahnen heraus und schwangen sie umher, als die Ungaren einmarschierten. Ich schätze sie erinnerten sich an gute Zeiten unter ungarischer Herrschaft.

Auch meine Mutter freute sich zunächst, denn ihre beste Jugendfreundin—Marika—kam zurück und sie waren wieder vereint. Mutter hatte häufig von „Marika" erzählt. Sie waren zusammen in Strabychovo zur Schule gegangen, aber Marika hatte die Region seit Jahren verlassen. Sie war mittlerweile mit einem ungarischen Gendarm verheiratet und hatte zwei Kinder. Er war sogar Teil der Parade gewesen—ganz vorne als Fahnenträger!

Zu Beginn änderte sich nicht viel. Ich befand mich am Ende meines dritten Jahres in der *Polgari*. Ich wollte in der tschechischen Schule bleiben, mit meinen Freunden und Lehrern, doch das war nicht möglich, weil alle Schulen geschlossen wurden. Mein Vater meinte, dass ich entweder auf eine ungarische oder gar keine Schule gehen könnte, da es schlichtweg keine anderen Optionen gab. Also entschied ich mich auf eine ungarische Schule zu gehen, doch es war sehr hart. Ich fing bei der Grammatik und auch sonst regelrecht wieder von vorne an. Aber am Ende des Schuljahres hatte ich mich wieder zur Position der besten Schülerin hochgekämpft.

Zu ungefähr der selben Zeit zog meine Cousine Hendu bei uns ein. Sie hatte zuvor in Strabychovo gelebt, welches nun von Ukrainern besetzt wurde. Zuvor waren wir regelmäßig hin und her gefahren, um meine Großeltern, meinen Onkel und meine Cousins und Cousinen zu besuchen. Nun, da die Grenze geschlossen war, mussten wir Pässe beantragen, um sie besuchen zu können. Hendu ging in Mukačevo zur Schule und hatte es durch die Änderungen deutlich schwerer von Strabychovo aus zu pendeln. Deswegen lebte sie stattdessen bei uns.

Ich wollte auch nach abgeschlossener Schulpflicht weiter zur Schule gehen. Mein Vater ermutigte mich. Er war schon immer etwas aufgeschlossener gewesen, vielleicht weil er viel reiste. Der Rest meiner Familie war nicht so offen. Mein älterer Bruder Ancsi ging nach seinem Pflichtabschluss auf die *Jeschiwa*. Er liebte es die

Tora zu studieren. Meine Schwester Ipi hatte nie wirklich die Möglichkeit mit der Schule weiterzumachen, nachdem die Ungaren die Kontrolle übernahmen.

Der Vater meiner Cousine Edith, ein eher traditioneller Mann, war besonders kritisch gegenüber meiner fortwährenden Bildung; er war der Meinung ich solle heiraten und Kinder kriegen. Aber mein Vater setzte sich für mich ein und sagte: „Wenn sie zur Schule gehen möchte, dann darf sie das."

Nachdem ich die Aufnahmeprüfung bestanden hatte, begann ich im nächsten Jahr an der Royalen Ungarischen Betriebswirtschaftsakademie zu studieren, derselben Schule, auf die Hendu ging. Eine der ersten Änderungen, die von den Ungaren implementiert wurden, war, dass nur noch sechs Prozent der Schüler Juden sein durften. Das waren Frici, ich und noch ein paar weitere jüdische Mädchen. Ich machte zu der Zeit neue Freunde aus den Familien, die aus Ungarn zurückgekehrt waren—zurück in die Stadt, die dann bereits Munkács genannt wurde.

Die Dinge begannen sich um uns herum zu verändern. Zunächst nur schleichend, sodass ich es kaum wahrnahm—genauso wenig wie der Rest der Welt—da ich ja meine Schule hatte. Ich hatte immer noch meine Schule.

Szalona auf meinen Lippen

1939 — Ruthie

Ich war zehn, als ich zum ersten Mal Antisemitismus am eigenen Leib erfuhr. Ich war für viereinhalb Jahre auf die tschechische Schule gegangen, bevor ich für das letzte halbe Jahr auf eine ungarische Schule wechselte. Die tschechische Schule war nur einen Häuserblock entfernt gewesen. Die neue Schule war weiter weg auf der anderen Straßenseite. Obwohl es dort Schüler gab, die ich nicht kannte, gingen auch viele meiner bisherigen Klassenkameraden mit mir auf die neue Schule.

Eines Tages beim Mittagessen hielten mich drei Mädchen fest und schmierten Schinken—Szalona—auf meine Lippen. Dabei lachten sie. Ich war schockiert und hatte Angst. Eines der Mädchen, Metzger Emma, kannte ich gut. Tatsächlich kannte ich sie alle—wir waren Freunde gewesen.

In relativ kurzer Zeit wurde die jüdische Gemeinde das Ziel von Hass und Gewalt. Es begann zuerst mit Belästigungen. Männern wurde an den Bärten gezogen und sogar Schläge mussten sie über sich ergehen lassen. Obwohl die Ungaren die Kontrolle über Munkács übernommen hatten, konnte man in der Nähe Schüsse und Explosionen hören. Die Tschechen bekämpften die Ungaren auf der Orosvegi Brücke, nur drei Häuserblocks von unserem Haus auf der Zrinyistraße entfernt. Geflüchtete strömten in die Stadt, viele davon aus Polen, nachdem die Nazis in ihr Land eingefallen waren. Und es gab noch mehr Einschüchterungen. Die Ungaren begannen allerlei Sachen zu konfiszieren, indem sie ständig neue Verordnungen erließen. Natürlich hörten die religiösen Juden nicht auf zur Synagoge zu gehen, doch wenn sie wieder rauskamen, verfolgten sie die Soldaten, bespuckten sie und schlugen auf sie ein. Ihnen war jeder Vorwand recht, um sie zu schikanieren und zu beklauen.

Mutter war sehr mutig. Als sie eines Tages meinen Vater belästigten, ging sie aus dem Haus und rief: „Ihr müsst müde sein. Ihr wart die ganze Nacht unterwegs." Dann gab sie ihnen Whiskey und lenkte sie ab. Sie hatten Vater schnell vergessen.

Irgendwann begannen sie jüdische Betriebe zu schließen oder zu übernehmen. Trotz allem versuchten unsere Eltern hoffnungsvoll zu bleiben. Sie waren immer darauf fokussiert uns zusammen zu halten und uns ein möglichst normales Leben zu gewährleisten. Zwar erklärten sie uns, dass wir schwierige Zeiten durchmachten, aber auch, dass es wieder besser werden würde, obwohl es schien als würde das Leid der jüdischen Gemeinschaft täglich größer werden. Wir beteten, versuchten Frieden und Ruhe zu finden und unterstützten einander und unsere *Shul*.

Am 27. September 1939 brachte meine Mutter ein weiteres Mädchen zur Welt. Ihr Name war Tobe Tobcsu Rose, doch wir nannten sie Rozsa auf Ungarisch. Sie war ein sehr großes Baby; beim Arzt wog sie fünfeinhalb Kilo. Ihre Geburt machte uns besonders glücklich, da mein Großvater väterlicherseits im Vorjahr verstorben war und meine Mutter eine Totgeburt gehabt hatte.

Ich freute mich ungemein ein neues Baby in der Familie zu haben, doch gleichzeitig befürchteten wir stets, was der nächste Tag bringen würde. Wir hatten zumindest noch einander, aber es wurde immer schwieriger die Hoffnung zu bewahren.

Mandalay

1940 — Manci

Ich hatte gesehen, dass das Buch „Vom Winde verweht" in der Bibliothek angepriesen wurde. Es war in das Ungarische übersetzt worden und hieß „Der Wind wehte es davon". Ich nahm es mit nachhause und war sofort davon eingenommen. Ich konnte nicht aufhören zu lesen, denn es war voll von amerikanischer Geschichte. Es war so faszinierend für jemanden wie mich, vor allem in Bezug auf die Gegenwart, in der ich lebte. Meine Mutter kam nachts ab und zu in unser Zimmer, um nach uns zu sehen, doch ich hatte eine Taschenlampe unter der Decke und verschlang das ganze Buch in sechsunddreißig Stunden.

Aufgrund meiner neuen Schule sowie dem Zugang zu Büchern und Filmen war ich sehr an der größeren Welt außerhalb von Munkács interessiert. Frici und ich waren Rebellen. Wir wollten den Film „Mandalay", wovon wir beide das Buch gelesen hatten, auf Ungarisch gucken. Man brauchte die Erlaubnis der Schule und der Eltern, um ins Kino zu gehen, und selbst dann wurde es einem höchstens einmal im Monat gewährt. Die Schule war sehr streng und verbot so gut wie jede Ablenkung.

Wir hatten ein Kino in der Stadt, wo sie amerikanische, ungarische und deutsche Filme mit ungarischen Untertitel zeigten. Dort schauten wir alle Filme mit Paula Negri, eine Polin und meine Lieblingsschauspielerin.

Am Ende mussten wir uns ins Kino schleichen, um „Mandalay" zu gucken. Es gab einen separaten Eingang zum Balkon und dort versteckten wir uns. Die Vorstellung fand mitten am Tag statt und war nicht gut besucht. Ich weinte mir wegen des Films die Augen aus. Als ich nachhause kam und mich meine Mutter fragte, was los war, hätte ich lügen müssen, um mein Weinen zu erklären. Ich konnte es nicht. Ohne Erlaubnis ins Kino zu gehen, war ein arger Verstoß. Verständlicherweise waren sie sehr böse auf mich. Meine Eltern waren streng und damals tat man, was einem gesagt wurde, vor allem in meiner Familie.

Fricis Eltern waren nicht so streng. Sie waren etwas älter und es waren eher Fricis große Brüder gewesen, die sie aufgezogen hatten. Sie waren gut zu ihr. Wie gesagt war auch mein Vater nett zu ihr und behandelte sie als wäre sie Teil unserer Familie.

Ipi war zu der Zeit bereits fertig mit der Schule. Sie war viel mehr daran interessiert, was unsere Mutter tat. Sie hatte Spaß am Kochen und half Mutter, indem sie sich um die Kleinen kümmerte. Und sie hatte so viele Freunde; jeder mochte sie. An jedem Feiertag—*Rosch ha-Schana, Jom Kippur*—unterstützte sie Mutter mit dem Haushalt. Ihr liebster Feiertag war Pessach. Sogar beim Putzen half sie während der Feiertage.

Unsere Großeltern lebten nur ein paar Häuserblocks entfernt. Nachdem mein Großvater im Jahr 1938 verstarb, besuchte Ipi häufig unsere Großmutter. Sie war krank und allein, weswegen Ipi manchmal dort schlief und ihr Gesellschaft leistete.

Im selben Jahr hatte meine Mutter eine Totgeburt. Unser aller Herzen waren gebrochen, aber keiner litt so sehr wie meine

Schwester, welche Kinder so sehr liebte. Der Verlust des Babies setzte ihr wirklich schwer zu.

Es passierte so viel Schreckliches zu der Zeit. Doch all die guten Dinge—wie ein Buch oder ein Film—machten es leicht sich einzureden, dass alles okay sein würde. Wir hatten so ein schönes Leben. Ich wollte nicht daran denken, dass sich die Dinge verschlimmern könnten, also blieb ich naiv davon überzeugt, dass sie sich verbessern würden.

Keiner glaubte ihr

1942 — Ruthie

Ich hasste es wie die Gendarmerie die Leute schikanierte. Sie zogen an den Bärten jüdischer Männer und schubsten sie herum. Auf ihren Köpfen trugen sie Hüte mit auffälligen Federn, um sich größer und stärker zu fühlen.

Eines Tages kamen sie in den Laden meines Vaters, konfiszierten seine Ware und übergaben alles an einen Christen. Plötzlich besaßen Vater und seine Brüder kein Geschäft mehr. Er war vollkommen niedergeschlagen. Trotzdem beschäftige sich Vater weiterhin damit zu lernen, zu beten und anderen so gut wie möglich zu helfen. Mutter versuchte ihm mit Hoffnung und Ermutigung zur Seite zu stehen und versicherte ihm, dass die Dinge wieder besser werden würden. Wenn ich daran zurückdenke, glaube ich nicht, dass sie wirklich an die Wahrheit ihrer eigenen Worte glaubte.

Es war uns nicht erlaubt Radios zu haben, aber mein Onkel hatte eines bei sich versteckt. Manchmal trafen sich die Männer bei ihm und hörten Radio. Wir hatten noch immer alle die Hoffnung, dass uns bessere Zeiten bevorstanden, dass uns jemand retten würde oder alles wieder so werden würde, wie es einst war.

Dann kamen noch mehr Geflüchtete, Menschen aus Polen, und sie erzählten Geschichten von dem, was dort vor sich ging. Da war eine Frau, bei der ich nicht aufhören konnte zu denken *was für eine arme Frau!* Irgendetwas stimmte offensichtlich nicht mir ihr, denn sie erzählte Geschichten davon, wie Juden einfach so getötet wurden. Sie tat mir Leid. Für mich und viele andere ging es in ein Ohr rein und ins andere wieder raus.

Mein Onkel hatte ein Dienstmädchen. Sie war Jahre zuvor in ihre Heimat nach Polen gegangen, war jedoch wieder zurückgekommen, nachdem die Deutschen in Polen eingefallen waren. Sie erzählte uns, dass die Deutschen Juden töteten. Aber einmal mehr wollte dem keiner Glauben schenken, weil es einfach nicht möglich schien. Ich weiß nicht, was aus ihr wurde. Ich schätze sie blieb in Munkács und erlitt das selbe Schicksal wie alle anderen.

Eines der Güter, welches die Gendarmerie aus dem Lebensmittelladen meines Vaters entwendete, war schwarzer Pfeffer. Er war ausgesprochen beliebt, weil er in vielen der meistgekochten Gerichte benutzt wurde. Aus Gründen, die wir nicht verstanden, wurde der Pfeffer etwa ein Jahr später wieder zurückgebracht. Vater betrachtete es als ein Geschenk des Himmels und verkaufte ihn innerhalb der Gemeinde und auch an Christen. Dies brachte meiner Familie unverhoffte Erträge und finanzielle Erleichterung, da wir seit der Beschlagnahme seines Geschäfts von den Familienersparnissen hatten leben müssen.

Aber die Erleichterung hielt nicht lange an. Wir fanden bald heraus, dass der Name meines Vaters auf der ungarischen schwarzen Liste stand. Er wurde des Hortens von schwarzem Pfeffer beschuldigt. Offensichtlich wurde der Pfeffer zu ihm zurückgebracht, damit man später einen Grund für seine Festnahme hatte.

Die Familie meiner Mutter hatte die Farm in Strabychovo, deswegen war es uns erlaubt säckeweise Mehl von dort im Haus zu haben, obwohl Mehl ansonsten rationiert wurde. Daher ging uns zum Glück nie das Brot aus.

An der Grenze

1942 — Manci

Ich hatte nichts als Hass für die übrig, die sich auf einmal für etwas besseres hielten. Es war die Unterschicht. Sie hatten vorher keinerlei Macht gehabt und hatten nun plötzlich die Kontrolle. Sie schlugen Juden und auch andere ohne Grund, nur weil sie es konnten. Und sie erfanden ständig neue Regeln; darüber wer wohin gehen durfte und was einem erlaubt war zu tun. Wir waren eine wohlbekannte Familie und in der Gemeinde akzeptiert. Wir hatten gute Beziehungen zu all unseren Mitmenschen und dann, aus dem Nichts, waren wir minderwertig.

Hendu lebte bei uns. Es wurde nach Juden und all jenen gesucht, die nicht als ungarisch galten. Mittlerweile strömten Geflüchtete aus allen Richtungen nach Munkács. Sie versuchten den Nazis und dem Krieg zu entkommen, welcher überall um uns herum wütete.

Eines Tages wurde Hendu festgenommen. Wir wussten nicht, was wir tun sollten. Meine Mutter ging zu ihrer Freundin Marika, dessen Ehemann in der Gendarmerie war. Außerdem wanden wir uns an den Direktor der Schule, welcher Hendu sehr gern hatte. Sie war eine solch exzellente Schülerin. Die drei—meine Mutter, Marikas Mann und der Schuldirektor—nahmen sich ein Auto und folgten dem Zug, der wahrscheinlich auf dem Weg in ein Arbeitslager war. Sie holten ihn endlich ein, als er die polnische Grenze erreichte. Irgendwie erspähte Hendu meine Mutter aus ihrem Güterwagen und rief ihr zu. Marikas Mann half meiner Mutter sie zu befreien und zurückzubringen. Es war ein Wunder.

Es war zu etwa derselben Zeit, dass die Braunhemden zum ersten Mal kamen und meinen Vater in ein Arbeitslager zwangen. Sie

40

fanden immer irgendeine Regel, die gebrochen wurde oder ein neues Gesetz, das nicht beachtet wurde. Es war die Elite und die gut angesehenen Leute, die sie zuerst belästigten. Sie nahmen sich die Ärzte und Geschäftsleute vor. Sie erschienen immer unter falschem Vorwand, damit sie etwas gegen dich in der Hand hatten und dein Hab und Gut konfiszieren konnten. Wir lebten unter unablässiger Schikane.

Sie waren jetzt die hohen Tiere, konnten sich nehmen und befehlen, was sie wollten. Wir begannen so viel wie möglich zuhause zu bleiben und ihnen aus dem Weg zu gehen, aber es machte keinen Unterschied. Sie waren an der Macht und sie hörten einfach nicht auf. Sie hörten einfach nicht auf.

Wenn ein junges Mädchen geboren wurde, war es Brauch, dass sie ihr Ohrlöcher gestochen wurden. Meine Großeltern gaben mir meine ersten Ohrringe, als ich noch ein kleines Baby war. Es waren Rubine mit kleinen Diamanten. Ich war sehr stolz etwas so schönes zu besitzen. Die Gendarmerie kam eines Tages zu uns und rissen sie einfach aus meinen Ohren. Sie ließen mich blutend zurück und ich konnte nichts dagegen tun. Denn sie waren an der Macht. Sie taten, was sie wollten. Es war egal, was du sagtest oder wie du dich verhieltst. Sie sagten, was sie wollten und nahmen sich, was sie wollten. Für mich waren sie nichts als Abschaum.

Schloss Kohner

1943 — Ruthie

Ich musste zusehen, wie sie meinen Vater davon zerrten. Man hatte ihn auf eine Liste getan, wegen falscher Beschuldigungen schwarzen Pfeffer in seinem Geschäft gehortet zu haben. Sie brachten ihn zum Schloss Kohner, welches nicht weit von unserem Haus entfernt war und zu einem Gefängnis umfunktioniert worden war. Sie schlugen ihn zusammen und ließen ihn nach zwei Wochen wieder nach Hause kommen. Er hatte ein schlimmes Geschwür. An *Jom Kippur*, dem heiligsten Tag, musste Vater im Bett bleiben und Wasser schlürfen. Er genoss es mir beim Beten zuzuhören, also er bat mich bei ihm zu beten. Er erklärte mir, wie ich anzufangen hatte. Ich werde nie die Art und Weise vergessen, wie er mir zuhörte.

Dann wurde er wieder weggeschleppt. Sie hatten immer falsche Vorwände und irgendwelche Ausreden, um dich zu belästigen und festzunehmen. Dieses Mal brachten sie ihn zu einer Mühle namens Monopol. Ich wusste, wo das war. Also entschied ich eines Tages dorthin zu gehen und Ausschau nach ihm zu halten. Ich sah ihn; er trug schwere Säcke von einem Ort zum anderen. Er hatte nicht viel Bart gehabt, aber sie hatten ihn trotzdem rasiert. Ich weinte hysterisch, weil ich dachte, das war das schlimmste, was sie ihm antun konnten. Sie hatten ihn verprügelt. Die Ungaren—die Gendarmerie—waren unfassbar brutal. Sie waren einfach unglaublich grausam zu allen Juden.

Wir blieben zuhause bei Mutter und machten uns durchgehend Sorgen um ihn. Als er endlich heimkehrte, konnte ich ihn kaum wiedererkennen. Er war gebrochen und seine beschmutze Kleidung hing schlaff vom seinem knochigen Körper herab. Wir hatten noch immer Zugang zu Lebensmitteln, also bereitete meine Mutter seine Lieblingsgerichte zu, aber er hatte Schwierigkeiten zu essen. Sein Geschwür hatte sich auch verschlimmert. Sie versuchte ihn aufzuheitern, doch er war zu niedergeschlagen und sprach nicht viel.

Für alle wurde es schwerer. Häufig klingelte es bei uns an der Tür, wo uns verzweifelte Menschen um Geld, Nahrung oder Milch für ihre Babies baten. Einige fragten nach Kleidung. Aufgrund von Vaters Ersparnissen ging es uns noch relativ gut, also gab meine Mutter ein paar Münzen ab. Manchmal kramte sie in unseren Schubladen, entschied, dass wir etwas nicht länger brauchten und gab es weg.

Es gab Suppenküchen, in denen meine Mutter und andere Frauen ab und zu kochten. Die Tische dort wurden schön gedeckt, damit es sich nicht wie Wohltätigkeit anfühlte. Vielen war es peinlich dort hinzugehen, aber es gab so viele Geflüchtete und so viele Geschäfte waren geschlossen. Es gab keine Arbeit, also gab es kein Geld, um Essen zu kaufen. Die Menschen waren am verhungern.

Ein Trip nach Budapest

19. März 1944 — Manci

Ich bin häufiger in Budapest gewesen. Wenn mein Vater eine Geschäftsreise machte, nahm er oft eines der älteren Kinder mit. Sowohl Nuti als auch Ipi waren dort gewesen. Er genoss es uns im Zug dabei zu haben und sich mit uns die Städte auf dem Weg anzuschauen. Wir blieben dann immer in einem Hotel und ich kannte alle seine Geschäftspartner. Einige hatten Kinder in meinem Alter, also hatte ich Spaß.

Zu dem Zeitpunkt wurden die Dinge jeden Tag schlimmer. Immer mehr Menschen aus der umliegenden Region kamen in das Ghetto. Unser Haus war voll mit Verwandten und Freunden. Weitere Suppenküchen wurden bereitgestellt und auch dort halfen meine Eltern.

Eines Tages kam mein Vater zu mir. Er war sehr ernst. Er konnte das Ghetto nicht verlassen, aber er sagte mir er hätte Dokumente für einen Freund in Budapest. Sie befanden sich in einem verschlossenen Umschlag und er fragte, ob ich bereit wäre ihn mit Hendu zu überliefern. Ich glaube dieser Freund war ein Anwalt. Er war kein Jude, aber ich weiß, dass ich ihn zuvor getroffen hatte.

Hendu und ich machten uns auf den Weg. Es war der 19. März 1944.

Ich war immer noch eine Schülerin, also trug ich meine Akademieuniform und einen Hut geschmückt mit der heiligen

Krone Ungarns. Hendu hatte bereits ihren Abschluss aber auch sie trug ihren Hut. Uns war nicht anzusehen, dass wir Jüdinnen waren. Wir besaßen keine Papiere, aber keiner kontrollierte uns. Wir hatten Schülerausweise und die Zugtickets. Mehr nicht.

Wir trafen den Herren in der Lobby eines Hotels. Er las die Zeitung und sagte nur so etwas wie: „Es macht keinen Unterschied." Scheinbar gab es da nichts zu diskutieren. Er schien die Dokumente einfach so abzutun und zuckte mit den Schultern, als ob es da nichts gebe, was er tun könnte. Er machte sich jedoch große Sorgen um uns. Er sagte wir müssten sofort heimkehren. Es sollte an dem Tag noch ein weiterer Zug kommen, der letzte Zug, und er riet uns nachdrücklich diesen zu nehmen. Tatsächlich brachte er uns selbst zur Station. Zum Glück hörten wir auf ihn.

Wir nahmen den Zug und kehrten nach Munkács zurück. Erst einige Tage später erfuhren wir, dass die Deutschen am nächsten Tag in Ungarn eingefallen waren. Wir wären nie zurückgekehrt. Man hätte uns im Zug überprüft. Zwei jüdische Mädchen ohne Papiere; wir wären festgenommen und weggebracht worden. Wer weiß, was mit uns geschehen wäre.

Damals schien es nicht so als könnte alles noch schlimmer werden. Und doch wurde es noch schlimmer.

Kleine Peska

1944 — Ruthie

Ich hatte solche Angst. Wir konnten jeden Moment festgenommen werden. Doch gleichzeitig dachten wir, dass der Krieg jederzeit enden könnte, weil wir von den Alliierten gehört hatten. Wir beteten, aber unser Schicksal war ungewiss.

Am 20. Januar, Ancsis 20. Geburtstag, brachte meine Mutter ihr achtes Kind zur Welt: Pesel. Wir nannten sie Peska. Es war spät in der Nacht und Vater war fort, also brachte Manci Mutter ins Krankenhaus. Ich bin mir nicht sicher, wo Vater war. Vielleicht war er in einem Arbeitslager oder half bei anderen Familienmitgliedern oder Freunden aus.

Die kleine Peska war ein wunderschönes Kind. Ich half Mutter dabei, sich um sie zu kümmern. Für mich war sie wie eine lebendige Puppe und sie brachte so etwas wie Glück in unseren ansonsten so angespannten Haushalt. Irgendwann wollte Vater mir etwas für das Baby geben. Obwohl jüdische Geschäfte fast ausnahmslos geschlossen waren, gab es einen Schwarzmarkt. Er brachte wundervollen Stoff heim, mit Schmetterlingen—*Lepke*—darauf. Er hatte vor ihn einer Näherin zu geben, damit sie ein Kleid daraus machte. Dazu sollte es leider nicht kommen.

In dem selben Jahr bereiteten wir wie üblich Pessach vor und erfreuten uns an zwei Seder-Mahlzeiten, angeleitet von meinem Vater. Wir waren dankbar dafür, zusammen zu sein; wir hatten unsere Familie und hofften weiter, dass das alles schon bald vorbei sein würde und wir unsere Leben normal fortführen könnten.

Ein paar Monate zuvor hatte mein Bruder Nuti ein Problem mit seinem Fuß. Ein Knochen hörte nicht auf zu wachsen und begann aus der Haut zu brechen. Er war im Krankenhaus in Beregszász, wo es einen besonders guten Arzt gab. Dort wurde ihm schnell geholfen und es begann ihm besser zu gehen, doch er sollte weiter im Bett ruhen. Der Arzt bot an, dass Nuti bei ihm zuhause genesen konnte. Wahrscheinlich wusste er mehr als wir und versuchte ihn zu schützen. Doch Mutter lehnte ab: „Wohin ich auch gehe, meine Kinder kommen mit."

Eines Tages kamen wir heim und sahen, wie unsere Eltern im deckenhohen Ofen hockten. Sie waren hineingekrabbelt und versuchten dort Schmuck und Goldmünzen zu verstecken. Mutter war fest entschlossen, die Gendarmerie nicht an ihren Hochzeits- und Verlobungsring zu lassen. Sie wusste, dass sie irgendwann danach suchen würden, also vergrub sie sie am Ende vorsichtig im Garten.

Wenige Monate später erreichten die Deutschen unsere Stadt. Es gab keine wilde Randale—nur das Stampfen ihrer Stiefel, als sie die Hauptstraße entlang marschierten. Auf die Soldaten folgten schwere Panzer. Wir erfuhren, dass die Juden in Ghettos verfrachtet werden sollten und die SS begann Juden aus den umliegenden Dörfern und Städten einzusammeln und nach Munkács zu zwingen. Schon bald kamen Unmengen von Menschen mit ihren vollbeladenen Pferdewagen an.

Zunächst waren wir erleichtert, dass unser Haus innerhalb des Ghettos lag. Ein Cousin und noch andere Leute zogen bei uns ein. Es war so schrecklich eng, aber wir hatten große Angst das Haus zu verlassen.

Dann wurde uns befohlen einen gelben Stern auf unseren Klamotten zu tragen.

Fricis blaues Kleid

April 1944 — Manci

Ich ging noch immer zur Schule und mein Zeitplan hatte sich nicht wirklich verändert. Frici und ich hatten unsere Abschlussprüfungen absolviert, aber unsere mündlichen Prüfungen standen noch aus. Wir waren die besten Schülerinnen des Jahrgangs und mein Vater war immens stolz auf uns beide. Ich träumte sogar davon, meine Bildung fortzuführen. Die nächste Universität war in Ungvár, was mehrere Stunden entfernt war, aber zusammen mit Munkács im Jahr 1938 von Ungarn annektiert wurde. Ich wollte Ökonomie studieren. Doch alles um mich herum hatte sich verändert.

Die christlichen Schülerinnen, sogar die, mit denen ich mich angefreundet hatte—von denen ich einigen Nachhilfe gegeben hatte—distanzierten sich von uns. Ich hatte eine Schulfreundin, deren Mutter eine Konditorei besaß. Ab und zu aß ich bei ihnen zuhause. Keine richtigen Mahlzeiten, sondern Kuchen und dergleichen. Natürlich erzählte ich das nie meiner Mutter. Doch dann hörte es auf. Wir gingen noch immer zusammen zur Schule, aber darüber hinaus gab es keinen Kontakt mehr.

Ich hatte noch eine andere Freundin, der ich ebenfalls nebenbei mit der Schule half. Ihr Name war Kristofori und ich mochte sie wirklich sehr. Wir gingen vom ersten Tag an zusammen auf die Akademie und nun standen wir so kurz vor unserem Abschluss. Also waren wir für vier Jahre eng verbunden gewesen. Ihre Familie hatte ein Geschäft—so etwas wie Klempnerei, denn sie installierten die Wassersysteme innerhalb von Häusern. Kristoforis Mutter war antisemitisch. Sie sagte irgendwann zu mir, dass sie gewillt sei Dinge für uns zu verwahren, dass sie Wertgegenstände sicher verstecken könne. Ich wusste, dass sie nur meinen neuen Mantel für ihre Tochter haben wollte. Mein Vater hatte für Hendu und mich Mäntel anfertigen lassen. Sie waren brandneu, mit persischen Fellkragen.

Jeder versuchte auf Kosten anderer Profit zu machen oder sich einen Vorteil zu schaffen. Es war besonders schrecklich, wenn es zwischen langjährigen Freunden geschah.

Die Abschlussfeier an meiner Schule—der Royalen Ungarischen Betriebswirtschaftsakademie—war eine riesen Veranstaltung. Es gab eine Hauptstraße in unserer Stadt, die „Der Korzo" genannt wurde. Der Korzo war die Promenade, wo die Menschen gerne ihre Abende verbrachten. Jeder Laden auf der Straße hing ein Bild der Abschlussklasse im Schaufenster auf. Sie ließen sie dort bis zur Abschlussfeier hängen.

Für das Abschlussfoto mussten wir ein marineblaues Kleid tragen. Fricis Familie hatte nicht viel Geld und konnte sich so etwas nicht leisten. Mein Vater besorgte genug Stoff für beide von uns auf dem Schwarzmarkt. Daraufhin ließ er unsere Kleider bei einer Näherin anfertigen.

Frici war ganz aufgeregt und wir freuten uns, beide auf dem Abschlussfoto zu sein. Wir saßen nebeneinander in der zweiten Reihe mit vier weiteren jüdischen Mädchen. Ich war jedoch noch nicht komplett fertig mit der Schule. Meine mündlichen Prüfungen standen mir noch bevor und waren für den 28. April angesetzt.

Die Backsteinfabrik Kalush Telep

28. April 1944 — Ruthie

Es wurde schlimmer und schlimmer. Raubüberfälle, Morde, das Schließen jüdischer Geschäfte—und dann noch die gelben Sterne, die wir gezwungen waren zu tragen. Juden war es nach sechs Uhr nicht mehr gestattet auf den Straßen zu sein. Mädchen wurden entsetzliche Dinge angetan, also gingen Manci, ich und die anderen gar nicht mehr raus. Wir waren wie eingesperrt in unserem eigenen Haus.

Bevor sie vor unserem Haus standen, hatte ich nie einen deutschen SS-Soldaten gesehen. Sie klopften an der Tür, traten sie aber kurz darauf ein. Sie waren auf der Suche nach meinem Vater und meinem Bruder Ancsi. Sie drohten, dass sie uns mitnehmen würden, sollten die beiden nicht in ein paar Minuten auftauchen.

Sie warteten nicht lange und zwangen uns sofort mitzukommen. Meine Mutter griff nach einem Päckchen auf dem Tisch und ein Soldat mit einem Bajonett in der Hand ohrfeigte sie. Wir konnten gerade noch ein paar wenige Dinge mit uns nehmen; Decken und ein Köfferchen für die Babysachen. Wir verließen das Haus mit Waffen im Rücken. Entlang der gesamten Straße standen Pferde und Wagen vor den Häusern. Das Gepäck wurde mit den kleinen Kindern in einen Wagen gesteckt und uns wurde befohlen loszugehen. Das ganze glich einem Trauerzug. Noch heute zittere ich, wenn ich daran denke.

Menschen standen am Straßenrand, um das Spektakel mit anzusehen. Einige bespuckten uns. Andere warfen mit Steinen und beschimpften uns. Wir hatten diesen Menschen nichts getan! All diese Jahre waren wir Nachbarn gewesen und trotzdem zeigten sie uns gegenüber solche Verachtung.

Es gab zwei Backsteinfabriken in Munkács. Wir wurden in die Kalush Telep Fabrik gebracht. Sie sperrten uns in einen kalten Keller mit Zementboden. Dort verbrachten wir die Nacht. Am nächsten Tag orderten sie meine Mutter, Manci und mich in ein Büro, wo sie uns befragten. Dann schickten sie uns Mädchen weg und behielten Mutter da. Etwa eine Stunde später trat sie aus dem Raum. Sie war verprügelt worden. Ihr Gesicht war geschwollen und sie sah schrecklich aus. Mit einem nassen Lappen wusch Manci das getrocknete Blut von ihrem Gesicht.

Nach ein paar weiteren Tagen im Keller wurde uns gesagt, wir könnten uns zu den anderen begeben. Wir suchten uns eine Ecke; wir hatten wenig Platz, aber zumindest war es dort nicht so kalt. Die Luft war abgestanden, doch das war immer noch besser als der muffige Geruch im Keller.

Natürlich waren unsere Gedanken bei Vater, denn wir wussten nicht einmal, ob er noch lebte. Doch dann sagte ein Mann aus unserer Synagoge, dass er ihn in Kalush Telep gesehen hatte, genau wie unseren Onkel und Bruder. Als sie ihn aus der Befragung entließen, war klar zu erkennen, wie schwer sie ihm zugesetzt hatten. Er stolperte zu uns herüber und sein Gesicht war voller Blut. Mutter wusch seine Wunden. Es brach unsere Herzen, ihn so zu sehen, doch wir dankten Gott, dass er noch lebte.

Das Leben eingesperrt im Ghetto war hart und demütigend. Es gab keinerlei Privatsphäre, da wir zusammen mit tausenden Gefangenen in Kalush Telep festgehalten wurden. Mein Vater und Bruder gingen ab und zu auf die Suche nach Essen und brachten uns etwas. Es gab nur wenige Toiletten im Ghetto. Man stand stundenlang an.

TEIL III

STURZ IN DIE DUNKELHEIT

1944

Am 11. Mai 1944 begannen die ersten Deportationen von Munkács nach Auschwitz. Der letzte Zug fuhr am 23. Mai ab.

Das Konzentrationslager Auschwitz war das größte seiner Art. Es setzte sich aus drei kleineren Lagern zusammen. Auschwitz I, das Hauptlager, wurde für Zwangsarbeit und gezielte Tötungen benutzt. In Auschwitz III—oder Auschwitz-Monowitz—wurde auch Zwangsarbeit geleistet und zwar zur Herstellung von synthetischem Gummi und Kraftstoffen. Auschwitz-Birkenau (Auschwitz II) beherbergte die größte Menge an Gefangenen—aufgeteilt in zehn, durch elektrische Zäune getrennte, Sektionen—und beinhaltete ebenfalls Einrichtungen zur systematischen Vernichtung seiner Insassen. Vier große Krematorien waren gebaut worden und nutzten Zyklon B in ihren Gaskammern. Darin befanden sich acht Gaskammern und sechsundvierzig Öfen, dazu in der Lage 4.400 Leichen am Tag zu entsorgen.

Es wird geschätzt, dass mindestens 1.3 Millionen Menschen zwischen 1940 und 1945 nach Auschwitz deportiert wurden. 1.1 Millionen davon wurden ermordet. Die große Mehrheit waren Juden (1.095.000 deportiert und 960.000 getötet). Zu den weiteren

Opfern gehörten Polen, Roma, sowjetische Kriegsgefangene und andere Nationalitäten.

Mit den Deportationen aus Ungarn zwischen dem späten April und frühen Juli 1944 erreichte der deutsche Plan, die europäischen Juden auszuradieren, seine höchste Effizienz. Etwa 426.000 ungarische Juden wurden nach Auschwitz geschickt und 320.000 davon direkt in die Gaskammern von Auschwitz-Birkenau. Mit dem Vergasen wurde bis November 1944 fortgefahren. Sowjetische Truppen erreichten das Konzentrationslager Mitte Januar 1945.

Yad Vashems zentrale Datenbank für die Opfer des Holocaust beinhaltet die Namen folgender Mitglieder der Familie von David und Emma Grunberger aus Munkács in Ungarn:

Vorname	Nachname	Geburtsjahr	Wohnsitz	Schicksal	Sterbeort
David	Grunberger	1897	Munkács	Ermordet	Auschwitz, Polen
Emma Teme	Grunberger	1902	Munkács	Ermordet	Auschwitz, Polen
Asher Anshel Ancsi	Grunberger	1924	Munkács	Ermordet	Auschwitz, Polen
Nute Leib Nuti	Grunberger	1930	Munkács	Ermordet	Auschwitz, Polen
Esther Etyu	Grunberger	1932	Munkács	Ermordet	Auschwitz, Polen
Baruch Buji	Grunberger	1934	Munkács	Ermordet	Auschwitz, Polen
Tobe Tobcsu Rose	Grunberger	1939	Munkács	Ermordet	Auschwitz, Polen
Pesel Pepe	Grunberger	1944	Munkács	Ermordet	Auschwitz, Polen

Ins Ungewisse

18. Mai 1944 — Manci

Am 18. Mai wurden meine Familie und ich ins Ungewisse geschickt. Ein Jahr später, als wir uns in Schweden erholten, riet uns das Rote Kreuz unsere Gedanken in einem Tagebuch aufzuschreiben. Darin bezeichnete ich jenes Datum als den „schwarzen Tag".

Wir hatten uns seit drei Wochen in der Backsteinfabrik Kalush Telep aufgehalten. Ein Stacheldrahtzaun schottete uns komplett von der Außenwelt ab. Dahinter standen die ungarischen

Braunhemden und SS-Soldaten mit ihren Waffen. Wir erhielten Nahrung und Wasser, aber sonst nichts.

Es dauerte nicht lange, bis die Fabrik überfüllt war, und obwohl wir bereits tausende waren, brachten sie weiterhin neue Menschen hinein. Die öffentliche Toilette hatte lange Warteschlangen und stank fürchterlich nach Körpergeruch, Exkrementen und Erbrochenem. Privatsphäre gab es nicht. Es war so erniedrigend. Die gesamte Zeit über dachte ich: Ich bin Schülerin und meine mündlichen Prüfungen hätten am 28. April stattfinden sollen. Das alles konnte nicht wahr sein.

Vater war in entsetzlicher Verfassung. Ich konnte seine Augen nicht mehr sehen, weil sein Gesicht so zugeschwollen war. Er versuchte Ruhe zu bewahren und wiederholte, dass wir zusammen waren und nichts zu befürchten hatten. Alles würde wieder gut werden, versicherte er uns immer wieder.

Uns wurde gesagt, dass die SS das gesamte Ghetto leeren würde, und dass wir in ein Übergangslager geschickt werden sollten. Sie sagten, dass Familien zusammen bleiben konnten, und dass dort bessere Bedingungen herrschten. Natürlich wollten wir das glauben. Es war zu grausam, sich das schlimmste vorzustellen; wir brauchten Grund zur Hoffnung.

Mutter versuchte, das wenige was wir noch hatten, zusammen mit so viel Nahrung und Wasser wie möglich, einzupacken. Wir alle halfen so gut wir konnten. Ipi kümmerte sich um das Baby. Wir hatten unsere Klamotten, etwas Bettzeug und Rucksäcke. Und dann warteten und warteten wir. Auf was auch immer uns bevorstand.

Es gab mehrere Transporte. Zu einer vorgegebenen Zeit wurden wir aus der Fabrik und auf die Straße gescheucht. Wie auch Wochen zuvor hatten sich Bewohner der Stadt—unsere Nachbarn —am Straßenrand aufgestellt. Einige lachten, andere riefen und fluchten oder bespuckten und bewarfen uns. Die Soldaten schoben uns vor sich her. Jene, die nicht schnell genug gingen, wurden geohrfeigt oder bekamen einen Schlag mit dem Gewehrkolben ab. Babies schrien und Kinder weinten. Obwohl Eltern versuchten ihre Kinder zu beruhigen, brachte es nichts. Wir hatten Glück, dass unsere kleine Peska so lieb und still war.

Wir waren noch immer zusammen. Wir alle. Doch dann begannen sie irgendwann die alten und schwachen auszusortieren. Mein kleiner Bruder Nuti hatte sich noch nicht von seiner Fußverletzung erholt und Onkel Mordechai war sehr geschwächt. Uns wurde gesagt, sie würden es in einem Wagen mit rotem Kreuz komfortabler haben. Ich weiß, dass sich meine Eltern schwer taten, sie aus ihrer Nähe zu lassen, aber sie hofften es würde ihnen so besser ergehen.

Nachdem man sie weggebracht hatte, bestand unsere Familiengruppe aus Mutter, Vater, meiner Stiefgroßmutter väterlicherseits Tova, meinem großen Bruder Ancsi, der mittlerweile zwanzig Jahre alt war, und Ipi, die gerade sechzehn geworden war. Und dann waren da noch die zwölfjährige Esther, der zehnjährige Baruch und die fünfjährige Tovah. Das Baby war gerade mal vier Monate alt.

Wie gesagt wurde uns vorgemacht, wir würden in ein Übergangslager gebracht werden, wo wir alle wieder zusammen sein würden. Sie erklärten, dass es ein besserer Ort sei, ein Ort, an dem die Kinder spielen könnten, und die jungen Leute arbeiten würden. Ein Jahr später schrieb ich in mein Tagebuch: „Wie konnten wir so naiv sein?"

Es war alles gelogen. Es war so schrecklich und unvorstellbar, aber nicht aufzuhalten. Die Transporte machten sich auf den Weg.

Hendu lernt Peska kennen

18. Mai 1944 — Ruthie

Ich sah Viehwagen so weit das Auge reicht. Abgewrackte Holzrampen wurden aufgestellt, auf denen wir hineingehen sollten. Die Wagen waren klein und trotzdem quetschten sie fünfundachtzig bis neunzig Menschen hinein. Wir fanden eine Ecke für unsere Familie, doch wir wurden aus jeder Richtung von schwitzenden Körpern bedrängt. Vater betete. Die jüngeren Kinder klammerten sich an Mutters Hüfte. Sie versuchte ihr bestes, sie zu trösten und zu beruhigen.

Obwohl es mitten am Tag war, war es dunkel im Wagen. Nur spärliches Licht zwängte sich durch die schmalen Lücken in den Holzbrettern, welche von Stacheldraht bedeckt waren. Nazi-Soldaten umgaben den Zug. Ich befand mich nah genug an einem Spalt, um hinausblicken zu können. Einige der Soldaten sahen mich und lachten. Dann war ein dumpfes Krachen zu vernehmen und mir wurde klar, dass man uns eingeschlossen hatte. Einige Leute schnappten erschrocken nach Luft, manche weinten und andere blieben einfach still. Daraufhin machte der Zug einen Ruck vorwärts, stand für einen Moment still und fuhr dann langsam wieder an. Glücklicherweise schlief das Baby auf meiner Schulter weiter, obwohl ich wegen des abrupten Geräusches zusammengezuckt sein musste. Wir waren losgefahren.

Ich hatte gedacht, dass vielleicht etwas frische Luft in den Wagen kommen würde, sobald wir unterwegs waren, doch es schien nicht zu helfen. Es blieb stickig und dagegen ließ sich nichts machen. Ein paar Minuten später hielt der Zug jedoch plötzlich an. Jemand in unserem Wagen schaute durch einen Spalt und las laut vor: Shajovitch Telep. Wir hatten die andere Backsteinfabrik in Munkács erreicht und fragten uns, wieso sich die SS entschieden hatte, hier zu halten.

Wie meine Schwester Manci erklärte ich ein Jahr später in meinem Tagebuch: „Alle Juden aus den umliegenden Dörfern wurden nach Shajovitch und Kallus in Mukačevo gebracht. Sie sammelten die Mütter, Kinder und Eltern, verfrachteten sie in Viehwagen und brachten sie an diese furchtbaren Orte. Alle meine Verwandten aus Strabychovo und Iloshva waren dort."

Ich war nah genug an der Wand, um hinausgucken zu können, und nach kurzer Zeit erspähte ich Hendu. Sie stand inmitten einer riesigen, von Soldaten umringten, Gruppe. Ich rief nach ihr und sie blickte in meine Richtung. Sie bewegte sich vorsichtig und so unauffällig wie möglich zu uns.

Ich war so froh, sie zu sehen. Meine Cousine Hendu hatte zu dem Zeitpunkt schon seit einer Weile nicht mehr bei uns gelebt und die kleine Peska noch nie gesehen. Ich hielt sie in meinen Armen und versuchte mich so zu drehen, dass Hendu ihr Engelsgesicht sehen konnte. Ihre Reaktion überraschte mich; sie schien so traurig. Statt zu lächeln oder uns *mazel tov* zu wünschen, fiel ein Schatten über ihr Gesicht und Tränen füllten ihre dunklen, braunen Augen. Sie drehte sich um und ging davon. Ich fragte Manci: „Wieso freut sie sich nicht über das Baby?" Ich glaube sie wusste, dass ein neues Leben unter diesen Umständen kein Grund zur Freude war. Ich schätze, sie realisierte bereits, was für ein Horror uns bevorstand.

Der Zug fuhr wieder ab und ich versuchte einen letzten Blick auf meine Cousine zu erhaschen. Doch es war zu spät; sie war bereits in der Menge verschwunden.

Wir fuhren bald an der Backsteinfabrik vorbei und verließen Munkács. Der Zug nahm mehr Geschwindigkeit auf und nach kurzer Zeit befanden wir uns auf dem Land. Ich sah Bäume und Wildblumen an mir vorbei ziehen. Ich sah Farmhäuser und Kühe, kleine Kinder, die im hohen Gras herumtollten. Für sie war es ein Tag wie jeder andere.

Ich betrachtete meine eigenen kleinen Brüder und Schwestern und sah den Kummer in ihren besorgten Gesichtern. Angsterfüllt umringten sie meine Eltern, welche ihnen kaum Trost spenden konnten. Sie waren so blass, so erschrocken. Ich dachte an die kleine Peska, welche noch immer schlief, und fragte mich, wie ihr Leben aussehen würde.

Zombies

18.-21. Mai 1944 — Manci

Ich erinnere mich kaum an jene Zeit. Wir waren wie Zombies. Es war unmöglich wahrlich zu begreifen, was vor sich ging. Vor nicht allzu langer Zeit waren wir als Familie zuhause gewesen. Die Dinge hatten sich verschlimmert, aber wir hatten Essen und Vater hatte noch immer etwas Geld über gehabt. Wir hatten uns frei bewegen dürfen. Jetzt waren wir in einen Viehwagen gezwängt, hatten kaum Luft zum Atmen und mussten in die Ecke urinieren. Der Gestank war schrecklich.

Wir hatten etwas Nahrung mitgenommen, aber Wasser wurde schnell knapp. Wir alle hatten Durst. Besonders schlimm war der Mangel an Wasser für Mütter und ihre Babys. Die Mütter konnten keine Milch produzieren und die Babys weinten. Sobald ein oder zwei begonnen hatten, fingen auch die anderen an zu schreien. Das Geräusch brach mein Herz.

Nach zwei oder vielleicht drei Tagen kam der Zug endlich zum stehen und die SS scheuchte uns raus. Wir waren von einer wundervollen Landschaft umgeben; die Bäume wurden von Blüten geschmückt, der Himmel war blau und die Vögel zwitscherten. Sogar eine Frühlingsbrise fuhr durch das Gras. Es schien vollkommen unwirklich; als hätten wir ein Gemälde betreten.

Wir durften uns kurz erleichtern, doch Privatsphäre gab es nicht. Wir hockten uns neben die Schienen. Für einen kurzen Moment sahen wir Nuti und Onkel Mordechai. Obwohl meine Mutter alles getan hatte, um Nuti so gut wie möglich bei der Genesung zu helfen, war sein Fuß nie komplett verheilt. Er humpelte noch immer und längeres Stehen tat ihm weh. Beide sahen blass und verschwitzt aus.

Dann orderten sie uns zurück in den Zug. Wir wurden geschoben und geschubst. Die Soldaten brüllten und beschimpften uns grundlos. Wer nicht schnell genug gehorchte, wurde geschlagen.

Und schon ging es weiter. Wir standen, weil es keinen Platz zum sitzen gab. Es war so ermüdend. Ich fiel in eine Art Trance. Wir alle waren benommen von der Hitze, dem Mangel an frischer Luft und dem schwanken den Zuges.

Ipi kümmerte sich hingebungsvoll um das Baby. Sie sang für die Kleine und wog sie in den Schlaf. Mein Vater betete leise, während sich meine jüngeren Geschwister an Mutter klammerten.

Ich weiß nicht, wann meine Großmutter starb. Tova war alt und schwach. Vielleicht passierte es am ersten Tag oder vielleicht an dem danach. Der Zug forderte viele Leben. Tovas Mann, der Vater meiner Mutter, war vier oder fünf Jahre zuvor verstorben. Er hatte ein Lokal geführt. Eines Tages waren ungarische Soldaten gekommen und hatten ihn zusammengeschlagen. Ein paar Wochen darauf war er in Beregszász ins Krankenhaus gekommen, doch er hatte sich nie erholt. Er hatte immer den Traum gehabt, dort zu sterben, wo seine Eltern und Geschwister waren. Sein Wunsch hatte sich also erfüllt.

Und vielleicht war es besser so. Er musste nicht mit ansehen, was seiner Familie passierte—seiner Frau, seinen Kindern und Enkeln. Alles war ihnen genommen worden. Nichts von dem Leben, welches sie sich aufgebaut hatten, als Mukačevo noch eine ruhige Stadt in der Tschechoslowakei gewesen war, war übrig geblieben. Sie würde nie wieder dieselbe sein, nachdem sie zu Munkács wurde, nachdem zuerst die Braunhemden und dann die Nazis einmarschierten.

In unserer kleinen Ecke des Wagons lag alles, was wir noch hatten. Ein bisschen Essen, etwas Kleidung und Bettzeug gestopft in Rücksäcke. Mutter hatte Zuckerwasser für das Baby. Niemand sonst von unseren Bekannten befand sich in demselben Zug. Hendu und Frici wurden erst später mitgenommen. Wir begannen zu verstehen, dass wir wegen Vaters Status unter den ersten waren. Sie hatten es zuerst auf die abgesehen, von denen sie wussten, dass sie Respekt und Einfluss genossen, und konfiszierten ihren Besitz gleich zu Beginn.

Der Zug fuhr weiter.

In Schweden schrieb ich später in mein kleines Tagebuch: „Eine dreitägige Tortur. Neunzig Menschen in einem Wagon. Die Kinder sind schwach, wir alle fallen fast um vor Durst. Meine Mutter ist am Boden zerstört. Die kleine Peska ist krank."

Endstation Auschwitz

21. Mai 1944 — Ruthie

Ich hielt das Baby in meinen Armen, als der Zug anhielt. Es war dunkel und still. Wir hatten unser Ziel in Polen erreicht: Auschwitz. Hier sollte sich das Übergangslager befinden. Es schien ein geschäftiger Ort, äußerst geschäftig. Wir konnten es hören. Und durch die Bretter des Wagens sahen wir Feuer in der Ferne— Flammen, die aus riesigen Schornsteinen emporstiegen. Was konnte das sein? Fabriken? Vieleicht ein Stahlwerk oder eine Kohleraffinerie?

Wir warteten. Dort waren so viele Wagen und so viele Menschen. Plötzlich wurden die Schiebetüren der Wagons aufgerissen und eine Horde von Nazi-Soldaten, umringt von dürren Männern in gestreiften Uniformen, brüllten, dass wir sofort aussteigen sollten. Was uns erwartete war etwas, dass wir nie vergessen sollten. Später schrieb ich: „Sie lassen uns um zehn Uhr abends aus dem Wagon. Alles ist umgeben von einem Drahtzaun und von grellen Lichtern beleuchtet wie die Straßen einer Großstadt. Überall stehen deutsche Soldaten."

Wieder und wieder brüllten sie uns an: „Raus! Raus! Schnell! Schnell! Los! Los!" Sie hatten Knüppel und Peitschen. Chaos brach aus, Schreie und Blut, während wir versuchten uns vor den brutalen Schlägen zu schützen. Hunde zerrten an unserer Kleidung, an unseren Körpern.

Hinter uns waren die Kapos—die von den Nazis ausgewählten Häftlinge in gestreiften Uniformen, die ihre Mitgefangenen in Schach halten sollten—und schleppten Leichen aus dem Zug. Unter den Toten waren viele Alte und Kinder. Einige Säuglinge lagen leblos da, in Decken gewickelt. Auch meine tote Großmutter trugen sie raus.

Um uns herum ließen die Menschen das *Schma* verlauten—den jüdischen Hilferuf an Gott. Es hallte durch die dunkle Nacht. Als Strafe für unser Gebet folgten mehr Schläge.

Männer und Frauen wurden sofort getrennt. Zeit zum Abschied gab man uns keine; außerdem dachten wir noch immer, dass wir später wieder alle zusammen sein würden. Uns wurde befohlen in Fünferreihen zu gehen. Ich musste wegen des grellen Flutlichts durchweg blinzeln. Die großen Lampen gaben ein unheimliches Summen von sich—man konnte die elektrische Spannung spüren. Ich sah hohe Wachtürme und elektrische Zäune mit einschüchternden Warnungen: „Vorsicht! Hohe Spannung!"

Wellen der Angst wurden zur Panik. Sie nahm von uns Besitz, während wir vorwärtsmarschierten. Meine Schwester Manci versuchte uns Mut zu machen. Es war schwer über die Zäune hinaus noch etwas zu sehen. Dort war es so finster. Doch dann kam endlich ein langes Gebäude zum Vorschein, eine scharfe Silhouette, die sich vor einem feurig roten Himmel hervorhob. Wir folgten dem Pfad zum Gebäude, weiterhin in Reih und Glied, mit Frauen auf einer und Männern auf der anderen Seite.

Ich schaute zur Reihe der Männer hinüber, um meinen Vater und meine Brüder zu sehen, jedoch ohne Erfolg. Dort standen tausende Männer und viele SS-Soldaten und Kapos um sie herum. In mein

Tagebuch schrieb ich später: „Mein kleiner Bruder Nuti und mein Onkel sind in dem Zug der Kranken und Schwachen nach Auschwitz gefahren. In ihrem Zug wurde nicht aussortiert. Alle wurden sofort auf die andere Seite geschickt. Solange ich lebe, werde ich an Auschwitz denken, wenn ich ein rotes Kreuz sehe."

Ich konnte meinen Blick nicht von den Flammen wenden, die aus dem Schornstein hervorbrachen. Was war es, dass sie zu so später Stunde verbrannten? Ein fauler Gestank lag in der Luft und dicke Staubpartikel trieben umher. Der weiße Schleier bedeckte den Nachthimmel und nahm mir die Orientierung. Der Pfad, auf dem wir uns befanden, war von Gras und wildem Unkraut überwuchert. Unser aller Panik wuchs mit jedem Schritt.

Die Auswahl

21. Mai 1944 — Manci

In meinem Tagebuch verewigte ich meinen ersten Eindruck von Auschwitz so: „Wir kamen Samstagabend in Auschwitz an, doch wir warteten weitere vierundzwanzig Stunden, bis wir aus dem Zug getrieben wurden. Denn wir befanden uns in der geschäftigsten Zeit in der Geschichte von Auschwitz. Menschen erreichten das Lager zu tausenden, nein zehntausenden."

Ich wollte einfach nur atmen. Zuallererst wollte ich nichts mehr, als der Wärme und Bedrängnis der letzten drei Tage zu entkommen. Wie es sich anfühlte, den Mangel an Luft und die drückende Hitze in dem überfüllten Wagon aushalten zu müssen, lässt sich nicht in Worte fassen.

Wir verabschiedeten uns von Vater, denn wir bemerkten, dass die Männer von den Frauen getrennt wurden. Wir wurden in Richtung einer Gruppe SS-Soldaten geschoben.

Er sah so jung aus, der SS-Offizier, welcher uns Frauen gegenüberstand. Ein gutaussehender Mann, perfekt gekleidet, mit makellos weißen Handschuhen. Er gestikulierte mit seinem Daumen: Du nach links. Du nach rechts. Du nach rechts. Einfach so. Die meisten Frauen und Kinder wurden nach links geschickt, nur sehr wenige nach rechts. Viele Familien wurden getrennt. Sie schrien und weinten, während sie brutal von Soldaten geschubst und angebrüllt wurden.

Plötzlich tauchte Onkel Shies Tochter Edith neben uns auf. Sie war 15 Jahre alt. Ipi hatte das Baby auf dem Arm und ein Kapo sagte: „Jede Mutter hält ihr eigenes Baby." Ipi gab Peska widerwillig an unsere Mutter. Als wir dran waren, wurden Mutter, das Baby und die anderen Kinder nach links geschickt, Ipi und ich wurde das Signal gegeben nach rechts zu gehen. Wir wussten nicht, was das bedeutete. Was erwartete einen links? Was stand uns rechts bevor? Es war so fürchterlich voneinander getrennt zu werden. Die ganze Zeit über hatten wir eng beieinander verbracht, fest entschlossen stark zu bleiben und nicht an das schlimmste zu denken. Was nun?

Als Ipi realisierte, dass sie noch immer den kleinen Koffer für Peska bei sich hatte, rannte sie zu Mutter hinüber. Der SS-Offizier packte Ipi und blickte dann zu Mutter. Ich werde nie vergessen, was er zu ihr sagte: „Du bist noch so jung. Warum gibst du nicht das Baby an jemand anders und kommst hierher." Dabei zeigte er in die Richtung von Ipi und mir. Aus irgendeinem Grund wollte er das Mutter mit uns kam. Sie war wunderschön, hatte feine Gesichtszüge und war nur zweiundvierzig Jahre alt. Mit ihren blauen Augen, blondem Haar und reiner Haut sah sie so unschuldig aus.

Er war ruhig und präsentierte sich sanftmütig. Doch Mutter ließ das Baby nicht von sich und hätte unsere kleinen Geschwister niemals allein gelassen. Genau wie bei Vater und unseren Brüdern waren wir davon überzeugt, wieder vereint zu werden. Wir dachten, dass es uns irgendwann wieder erlaubt wäre, zusammen zu sein. Wie gesagt hätten wir nicht wissen können, was die unterschiedlichen Richtungen bedeuteten—links oder rechts. Wozu das alles?

Wir marschierten weiter und versuchten unsere Mutter im Blick zu behalten, aber wir hatten sie und die Kleinen schon bald aus den Augen verloren.

Ein wenig zuvor hatte ich die Wagen mit dem roten Kreuz ausgemacht. Wir gingen davon aus, dass Nuti und Onkel Mordechai auch irgendwo in der Nähe waren, obwohl wir nichts von ihnen gehört hatten. Vater und Ancsi hatten wir nicht mehr gesehen, seit die Männer von uns getrennt wurden. Jetzt waren auch Mutter, die schöne Esther, Baruch und die fünfjährige Rozsa verschwunden. Und natürlich war auch Peska nicht mehr bei uns.

Nur drei von uns waren noch zusammen: Ipi, Cousine Edith und ich.

Es waren die anderen Gefangenen, die uns in den nächsten Tagen fast schon emotionslos erklärten, was wirklich vor sich ging. Man konnte sich kaum vorstellen, dass sie die Wahrheit sprachen. Es war einfach zu schrecklich. Und erst um einiges später wurde uns klar gemacht, wer der junge, elegante SS-Offizier war, der meine Mutter und unsere kleinen Geschwister in den Tod geschickt hatte: Dr. Josef Mengele.

Für immer verloren

21. Mai 1944 — Ruthie

Ich hatte vergessen, dass ich noch immer das Köfferchen für Peska hatte und lief zu Mutter rüber. Ein SS-Offizier packte mich. Ich stand da, während er mit Mutter sprach und ihr in einem bedauernden Ton erklärte, dass er sie mit den Frauen auf der rechten Seite hätte mitgehen lassen, wäre da nicht das Baby auf ihrem Arm. „Dort werde ich noch einmal sortieren", sagte er zu ihr. Aber sie hätte Peska nie hergegeben.

Es war ein schmerzhafter Moment, über den ich später in meinem Tagebuch schrieb: „Ich bemerkte, dass ich immer noch Peskas Köfferchen in meiner Hand hielt. Ich wollte schnell zu Mutter laufen, aber der Offizier ließ mich nicht vorbei. Ich flehte ihn an. Das Baby schaute mich mit ihren großen, unschuldigen, blauen Augen an. Dann hatte ich sie für immer verloren."

Ich drängte mich dicht an Manci und Edith und hielt Ausschau nach bekannten Gesichtern in unserer Reihe. Ein wenig hinter uns sah ich ein Mädchen aus unserer Stadt, Ingber Libu, und winkte zu ihr herüber. Sie war mit Manci zur Schule gegangen und hatte ein Jahr vor ihr den Abschluss gemacht. Zum Glück sah sie uns und rannte in unsere Richtung. Manci nahm sie bei der Hand. Es war ein echter Trost eine so enge Freundin an unserer Seite zu haben.

Wir wurden gezwungen für eine halbe Stunde weiterzumarschieren, in der ich immer wieder zurückschaute und versuchte meine Mutter und unsere lieben, unschuldigen Geschwister zu erspähen. Doch sie waren in der Dunkelheit verschwunden.

Es war uns noch nicht klar, aber zu dem Zeitpunkt waren sie bereits drauf und dran die Stahltüren der Gaskammern zu durchschreiten und ermordet zu werden—Tod durch Ersticken. Danach wurden die Leichen von Häftlingen der Sonderkommandos in einen anderen Raum geschleppt, wo sie nach Goldzähnen durchsucht und ihre Haare abgeschnitten wurden. Selbst im Tod wurden ihre Körper nicht mit Würde behandelt, sondern wie rohes Fleisch in Metallkarren geschmissen.

Wir fanden später heraus, dass die vollen Karren auf einen riesigen Aufzug gezogen und hoch zu den Krematorien gebracht wurden. Dort quetschten die Sonderkommandos die Leichen dann in Öfen, von denen ihre Asche zusammen mit den Flammen emporstiegen

—jene Flammen, welche wir bei unserer Ankunft in Auschwitz erblickt hatten.

Nuti und Onkel Mordechai waren wahrscheinlich demselben Schicksal zum Opfer gefallen. Die Wagen mit dem roten Kreuz waren benutzt worden, um die Alten und Schwachen in Sicherheit zu wiegen und größeren Aufruhr zu vermeiden. Sobald sie Auschwitz erreicht hatten, waren sie unter den ersten gewesen, die getötet worden waren.

Wir wurden weiter vorwärts geschoben, in Richtung eines Gebäudes, dass langsam größer wurde. Dutzende Soldaten schwirrten um uns herum, schubsten und schlugen uns. Ihr Brüllen hallte in meinen Ohren wieder: „Mach los! Schnell, du Schwein! Los! Los!" Ein slowakisches Mädchen, eine von den Kapos, sagte uns, wir würden zu den Duschen gehen, in die Sauna. Man würde uns waschen und dann Kleidung geben. Wir bräuchten keine Angst haben, meinte sie. Man würde unsere Haare schneiden, uns in Baracken bringen und dann Arbeit zuweisen. Es war ein Versuch uns zu beruhigen, um sicher zu gehen, dass die Dinge nicht aus dem Ruder liefen. Zu dem Zeitpunkt muss es etwa Mitternacht gewesen sein.

Wir wussten nicht, wohin wir marschierten oder was uns bevorstand. Man brachte uns zu dem Ort, welcher im Lager als die Sauna bekannt war und wo man gebadet und entlaust wurde. Wir konnten die dunklen Silhouetten zweier Männer sehen, die neben einem Feuer schufteten. Sie bückten sich gleichzeitig, hoben etwas vom Boden und schmissen es in die Flammen. Ich hörte jemanden hinter mir sagen, dass sie Körper verbrannten. Es war ein schauerliches Spektakel, welches Wellen der Angst durch die Reihen gehen ließ. Einige gaben Schreie des Schreckens von sich und andere folgten, bis die Nachtluft von unserem Klagen erfüllt war.

Viele weigerten sich, vorwärts zu gehen, trotz der Hunde und Wachen im Rücken. Warum die Soldaten uns nicht an Ort und Stelle erschossen haben, kann ich bis heute nicht sagen.

The Sauna

21. Mai 1944 — Manci

Ich weiß noch, dass wir ständig zurückblickten. Wir wollten unsere Mutter und die Kleinen sehen, wenn auch nur für einen letzten Moment, aber die SS schob uns tiefer in die Dunkelheit. Sie brüllten und schubsten und schlugen uns immer wieder mit ihren Gewehren. Wir stolperten durch die Nacht.

Ich erinnere mich noch so lebhaft an diesen Tag, an diese Situation, und in Schweden schrieb ich später: „Wir, die vorne standen, waren starr vor Angst, doch die hinter uns brachen in Tränen und Schreie aus. Alle weigerten sich in die Sauna zu gehen und die SS schient nicht mit unserer Vehemenz gerechnet zu haben. Ich konnte nichts erkennen, aber hinter mir behaupteten einige, dass sie sehen konnten, wie sie Körper (tot oder lebendig?) in die Flammen warfen. Meine Furcht galt nur dem feurig roten Nachthimmel."

Als wir das Gebäude erreicht hatten, war ein riesiger Aufruhr ausgebrochen. Wir wurden gedrängt weiterzugehen, doch die Hysterie war zu groß. Zu dem Zeitpunkt waren wir fest davon überzeugt, dass sie vor hatten uns sofort zu töten, dass sie uns verbrennen würden.

Die SS-Wachen bemerkten, dass sie die Kontrolle verloren und riefen nach Verstärkung. Nach einer Weile schickten sie weibliche Kapos zu uns, die ungarisch sprachen, um uns zu beruhigen. Die Reihen bewegten sich langsam wieder in Richtung des Eingangs. Man erklärte uns, dass wir keine Angst zu haben brauchten, dass man unsere Haare schneiden, uns unter die Dusche schicken, neue Klammotten geben und Arbeit zuweisen würde. Damit wollten sie uns nur in Sicherheit wiegen und die mehreren hundert aufgebrachten Mädchen und Frauen wieder unter Kontrolle bekommen. Die SS wollte Panik und Revolte um jeden Preis vermeiden.

In meinem Tagebuch schrieb ich: „Unser Widerstand war ein unübliches Ereignis im Lager; aus diesem Grund sprach man noch Monate danach von unserem Transport. Einige Wochen später, als wir bereits in Birkenau waren und nahe der Sauna arbeiteten, erzählte mir ein man etwas, nachdem er erfuhr, dass ich aus Munkács kam. Er sagte mir, wir seien die einzigen gewesen, die sich der SS entgegengestellt hatten." Nach uns brachten sie glaube ich keinen Transport mehr während der Nacht ins Lager. Sie kamen nur noch tagsüber, wenn die Flammen sich nicht so klar am Himmel abzeichneten.

Irgendwann betraten wir dann doch das Gebäude. Umgeben von SS-Männern und weiblichen Kapos mussten wir unsere Klammotten ausziehen und auf einen Haufen schmeißen. Es war so demütigend. Dann wurde uns befohlen nackt auf langen Bänken Platz zu nehmen. Jede von uns wurde zu den „Friseuren" gezogen. Unsere Haare wurden mit Scheren und Rasierklingen bis auf die Kopfhaut abgeschnitten, ein schmerzhafter Prozess. Ipi hatte damals zwei lange, dicke Zöpfe. Es war schockierend, sie mit nichts als kurzen Stoppeln zu sehen.

Dann gingen wir unter die Duschen. Wir versuchten uns weiter an den Händen zu halten—Ipi, Edith, Libu und ich—als wir in den riesigen, gefliesten Raum gescheucht wurden, wo überall Wasserzapfen von der Decke hingen. Das Wasser schoss mit großem Druck herunter und war eisig kalt. Einige der Mädchen brachte es zu Boden. Blut rann von unseren geschundenen Häuptern herab und vermischte sich mit dem abfließenden Wasser. Nach der Dusche drängten uns Kapos wieder aus dem Raum, während deutsche Soldaten einfach dastanden und zuschauten, lüstern und lachend.

Man gab uns kratzige, graue Kleider, die wie Kartoffelsäcke aussahen. Jedes Kleid hatte hinten ein großes „X" aufgemalt. Ich erinnere mich noch gut an die leuchtend grüne Farbe. Ganz offensichtlich diente es dazu, dass man einen auch im Dunkeln gut sehen konnte. Sonst erhielten wir nichts. Keine Unterwäsche oder Strümpfe. Von unserer alten Kleidung hatten wir nur unsere Schuhe behalten dürfen. Dann schoben sie uns in ein Ankleidezimmer.

Nachdem die Frauen angekleidet waren, betraten sie das Lager normalerweise durch einen Hintereingang, wonach die Männer unter die Duschen geschickt wurden. Da es fast Mitternacht gewesen war, als wir den Zug verlassen hatten, blieb unsere Gruppe bis zum Tagesanbruch in der Sauna. Ich war unfassbar müde und legte mich zum Schlafen auf den kalten Zementboden.

David Grunberger, der Schlosser

22. Mai 1944 — Ruthie

Ich hatte das Glück meinen Vater in der Menge zu finden, obwohl ich ihn kaum wiedererkannte. All die Männer, die mit unserem Transport angekommen waren und die Selektion überlebt hatten, hatten sich auf der anderen Seite der Sauna gesammelt. Vater war einer von ihnen.

Die Männer hatte man ebenfalls ihrer eigenen Klamotten beraubt und stattdessen in Gefängnisanzüge gesteckt, die wie schlecht passende Pyjamas aussahen. Auch ihre Köpfe waren gewaltsam geschoren worden, Haare sowie Bart.

Mein Vater war völlig entsetzt, als er uns sah. Er konnte nicht damit umgehen, was die Wachen Manci, meiner Cousine und mir angetan hatten. Es brachte ihn immer wieder aus der Fassung uns so glatzköpfig zu sehen, doch Manci versuchte ihm klar zu machen, dass das egal war. Sie versuchte uns alle zu beruhigen, indem sie sagte: „Haare wachsen nach."

Onkel Shie war auch dort, aber ich bemerkte, dass weder Nuti noch Onkel Mordechai bei ihnen waren. Sie waren in einem Wagen mit rotem Kreuz nach Auschwitz gekommen, doch Vater glaubte, man hätte sie in ein Krankenhaus geschickt, wo man sich um sie kümmern würde, bis sie bereit waren zu arbeiten. Vater war erleichtert, dass Nuti mit seinem Fuß die Meile nach Birkenau nicht hatte laufen müssen. Natürlich war er überzeugt, er würde Nuti wiedersehen, aber wir fanden später heraus, dass es kein Krankenhaus gab. Man hatte sie direkt in den Tod geschickt.

Vater schien zu verstehen, dass uns nicht mehr viel Zeit zusammen blieb. Also sagte er zu uns: „Was auch passiert, vergesst niemals diese drei Dinge. Erstens: Falls euch irgendjemand fragt, ob ihr ein Handwerk beherrscht, sagt ja und man wird euch arbeiten lassen. Wenn du kein Handwerk beherrschst und nicht arbeiten kannst, haben sie hier keine Verwendung für dich und werden dich wahrscheinlich erschießen. Ich bin ein Lebensmittelhändler. Das wird hier nicht als ein Handwerk erachtet." Er verstand ein wenig von der Arbeit eines Schlossers. Wenn ihn also jemand fragte, behauptete er ein erfahrener Schlosser zu sein. „Solltet ihr Mutter sehen, erklärt ihr, dass sie, falls sie irgendwie die Möglichkeit haben sollte nach mir zu suchen, nach David Grunberger, dem Schlosser, fragen soll und nicht nach David Grunberger, dem Lebensmittelhändler."

Manci und ich erinnerten ihn daran, dass wir kein Handwerk beherrschten. Er antwortete, dass Mutter uns das Nähen und Kochen beigebracht hatte. „Falls sie jemanden zum Nähen brauchen, wisst ihr wie man näht. Wenn sie nach einer Köchin fragen, dann seid ihr eine Köchin. Egal wonach sie suchen, das seid ihr."

Der zweite Ratschlag, den er uns gab, war zu essen, was auch immer sie uns zu essen gaben. Unsere Familie hatte sich immer streng koscher ernährt, doch er gab uns zu verstehen, dass es um unser Überleben ging.

„Drittens:", begann er dann. „Ich möchte, dass ihr darauf Acht gebt, mit wem ihr sprecht." Heute verstehe ich, dass er uns warnen wollte, da man schon für den kleinsten Verstoß erschossen wurde. Um uns also von jeglichem Ärger fernzuhalten, mussten wir extrem vorsichtig dabei sein, was wir sagten und wem wir es sagten.

Da standen wir also mit unserem Vater. Es gab so vieles, dass wir einander sagen wollten, dass ich heute wünschte gesagt zu haben, doch dann waren die Soldaten wieder da und befahlen uns vom Zaun wegzutreten. Da wussten meine Schwester und ich noch nicht, dass wir Vater nie wieder sehen würden.

Lager A, Block 26

Mai 1944 — Manci

Ich erinnere mich noch daran, wie karg die Baracken waren. Sie dienten schlichtweg dazu, so viele Menschen wie möglich zu beherbergen und glichen einem langen Pferdestall. Diese Ställe standen dicht aneinandergedrängt und wurden von SS-Soldaten auf hohen Wachtürmen beobachtet.

Vielleicht sind meine Erinnerung daran so detailliert, weil ich meine Eindrücke von den Baracken nicht lange danach in Schweden niederschrieb: „Wir kamen im Lager A, Block 26 an. Man kann sich nicht vorstellen, wie diese Holzbaracken aussahen, in denen 1.500 bis 2.000 Menschen lebten oder, um genauer zu sein, litten. Die Betten standen eines über dem anderen, jedes davon nur etwas breiter als ein normales Bett, doch mussten sich hier zwölf bis vierzehn Leute auf einen Haufen quetschen. Sich auszustrecken oder auch nur zu sitzen war unmöglich."

Die Wände waren fensterlos, aber es gab kleine Fenster in der hohen Decke. Auf beiden Seiten des Gebäudes gab es eine Tür, einen kleinen Eingang. In den Baracken hatten wir kein

Badezimmer, stattdessen stand draußen ein Fass. Es war ungeschützt, sodass jeder zuschauen konnte. Da es von so vielen Mädchen und Frauen benutzt wurde, musste das Fass häufig geleert werden. Außerdem gab es dort weder Tücher oder Toilettenpapier noch ein Waschbecken, um die Hände zu waschen.

Ich war mir dem System im Lager von Anfang an sehr bewusst. Sie hatten Regeln für alles, erklärten jedoch keine davon. Dinge passierten einfach. Zum Beispiel tätowierten uns die Kapos nach einigen Tagen eine Nummer auf unseren Arm, ohne Vorwarnung. Es war offensichtlich, was den Deutschen wichtig war: ein präzise durchkalkulierter Ablauf von ihrem grausamen Projekt. Sie führten eine Liste, wo neben der Zahl auf unserem Arm eine Linie war, auf der wir mit unserem Namen unterzeichnen sollten. Die SS wollte alles aufgezeichnet haben.

Wir mussten um 4 Uhr morgens aufstehen und stundenlang in der Dunkelheit warten, bis wir gezählt wurden. Zählappel! Immer wieder wurde gezählt. Und nachts dieselbe Routine, vielleicht sogar noch langwieriger. Die SS zählte, zählte nach und nochmal nach. Auch bei schlechtem Wetter. Sogar bei heftigem Regen und Stürmen standen wir draußen in Fünferreihen und jeder, der sich nicht perfekt einreihte, wurde verprügelt. Immer wieder wurde gezählt. Zählappel!

Wir tranken Tee—grüne Blätter, häufig mit Würmern darin, die man rauspicken musste. Ein steinhartes Brot, welches man sich zu viert teilen musste, war häufig die einzige Mahlzeit des Tages. Manchmal gab es Suppe mit Rüben und Kartoffeln. Verdorbenen Kartoffeln. Außerdem gab es da diesen bitteren Geschmack. Man nannte es „Brom", eine Art Droge, die uns schläfrig machte. Wer ein wenig benommen war, leistete weniger Widerstand. So kam es auch, dass wir Frauen unsere Periode nicht mehr bekamen. Etwas in dem „Brom" hatte diesen Effekt. Doch wir vergaßen nie die Worte meines Vaters: „Esst was auch immer sie euch zu essen geben."

Es dauerte nicht lange, bis man lernte die Dinge zu akzeptieren. Es hatte keinen Sinn, darüber nachzudenken. Nur das Überleben zählte—ein Tag nach dem anderen. Das einzige, woran man sich vielleicht nicht gewöhnen konnte, war die Grausamkeit der Kapos. Man musste unbedingt vermeiden krank zu werden. Wenn du beim Zählappell standest und in Ohnmacht fielst, musste dich jemand schnell wieder hochziehen. Ansonsten war das dein Ende. Wenn du krank warst und nicht arbeiten konntest, hatten sie keine Verwendung für dich.

Entweder man gab auf (und war hoffnungslos verloren) oder man entschied, sie nicht gewinnen zu lassen. Doch selbst dann dachtest du nicht, dass du jemals entkommen würdest. Wir waren darauf eingestellt uns zu Tode zu arbeiten. Und mehr gab es da nicht. Ich kann mir nicht vorstellen, dass irgendjemand daran glaubte zu überleben. Freiheit schien unerreichbar. Und doch gab es da diesen Willen, tief im Inneren, weiterzuleben.

Kanada

Mai 1944 — Ruthie

Ich glaube es geschah nur wenige Tage nach unserer Ankunft—wir standen beim Zählappell—dass ein Nazi-Offizier mehrere hundert „gesund aussehende" Mädchen raussuchte. Wir waren unter den auserwählten. Man brachte uns wieder in das Badehaus, desinfizierte uns und drängte uns draußen in eine Reihe. Als ich das vordere Ende der Schlange erreichte, schnappte ich vor Schrecken nach Luft. Wir waren kurz davor, auf den Arm tätowiert zu werden. Ich verzog vor Schmerzen das Gesicht, als ich dran war und der Kapo die Nummern in meine Haut stach—A-5878. Manci hatte in der Reihe direkt vor mir gestanden und war A-5877. Edith war A-5879.

Die Nadel hinterließ ein schmerzhaftes Pochen in meinem Arm. Jedoch wurde der sofortige, physische Schmerz nach einer Weile von einem tiefliegenden, üblen Gefühl ersetzt—wir waren Nummern geworden. Eines Nachts versuchte ich das Tattoo abzureiben, für den Fall, dass wir irgendwie in der Lage sein würden zu fliehen, als ob es nur diese Zahlen waren, die mich davon abhielten.

Uns wurde Arbeit in einem großen Lagerhaus namens „Kanada" zugewiesen (wir fanden später heraus, dass es so genannt wurde, weil Kanada als ein Ort des Überflusses galt). Das Lagerhaus Kanada befand sich in dem Dorf Brzezinka, welches Teil des Großkomplexes Auschwitz-Birkenau war. Darin wurden Kleidung, Gepäck und anderer persönlicher Besitz der Insassen gesammelt. Wir sortierten das Hab und Gut unserer Mitgefangenen.

Als ich Kanada zum ersten Mal betrat, war ich verblüfft: Berge von Schmuck, Klammotten, Schuhen, Kosmetik, Essen—alles Mögliche! Dort lag das alles und mir wurde klar, was das bedeutete. Sie stahlen unseren Besitz—wertvolles und von den Besitzern geschätztes Eigentum—und schickten ihn nach Deutschland. Was war aus all den Menschen geworden, deren Gegenstände wir sortierten?

Gleichzeitig war mir durchaus bewusst, dass wir Glück hatten. Anderen hatte man draußen schwere Sklavenarbeit auferlegt, wo sie den Elementen ausgesetzt waren. Die Arbeit in Kanada hatte seine kleinen Vorteile. Das Sagen hatte ein Herr Wertheimer, der uns einigermaßen anständig behandelte. Er ließ uns normalerweise in Ruhe und unter ihm mussten wir nicht die ständige Prügel über uns ergehen lassen, die wir von den Kapos und der SS erhielten. Da Herr Wertheimer häufig „wegschaute", konnten wir Klammotten für uns selbst einstecken—Unterwäsche, Strümpfe und Schuhe.

Manchmal machten wir merkwürdige Entdeckungen. Eines Tages sah Manci eine Gefangene in einem grünweißen Seidepyjama. Manci erklärte, dass unsere Mutter den Schlafanzug noch schnell am Tag unserer Deportation eingepackt hatte. „Bist du sicher, dass das deiner ist?", fragte ich sie. „Ja", antwortete Manci. „Ich kann dir sogar sagen, wo der Gürtel ist: in der Tasche." Und genau dort befand er sich. Das andere Mädchen ließ Manci den Pyjama haben.

Der größte Vorteil war, dass wir Zugang zu Nahrung hatten. Wir fanden Dosenessen, Süßigkeiten und getrocknete Früchte. Wann immer wir nicht beobachtet wurden, aßen wir so viel wir konnten. Es gab keine Reue. Wir folgten Vaters Anweisungen. Wir überlebten. Wegen dieses extra Essens waren wir physisch und mental stärker als die meisten, ohne auf die Nahrung in den Baracken angewiesen zu sein, und weil wir weniger von dem „Brom" zu uns nahmen, blieben wir wacher und aufmerksamer.

Sobald die SS Wind davon bekam, dass unsere Gruppe Mädchen nicht vom Lageressen aß, zwangen sie uns in die Baracken und schauten uns dabei zu, wie wir die Suppe aufaßen. Schon bald fühlten auch wir uns wieder betäubt.

Um in Kanada zu arbeiten, mussten wir vom Lager A bis zum Lagerhaus gehen. Das war eine ordentliche Strecke—bestimmt eine halbe Stunde in beide Richtungen. Diesen Marsch traten wir jeden Morgen nach dem zweistündigen Zählappell an. Einige Wochen später wurden wir Baracken direkt neben dem Lagerhaus zugewiesen. Das ersparte uns einen langen Weg zur Arbeit, brachte uns aber in die Nähe der SS, weswegen sie uns zwangen jeden Tag mit kaltem Wasser zu duschen, um uns zu desinfizieren. Andere Insassen litten unter Körper- und Kopfläusen, welche sich leicht verbreiteten, und die SS war äußerst penibel dabei, sich von den Infizierten fernzuhalten.

Magda und Kis Magda

Juni 1944 — Manci

Ich lernte Magda in den ersten Tagen in Auschwitz kennen. Sie war älter als ich und gebildet. Ich war noch immer ein naives Mädchen und sie schien mir eine Frau von Welt zu sein, was mich beeindruckte. Anfangs versuchte sie mich rumzukommandieren, was ich nicht zuließ, wonach wir uns aber umso besser verstanden.

Sie war eine jüdische Jugoslawin. Ihr Nachname war Friederich, ihr Mädchenname Rausnitz. Sie war verhaftet worden, weil sie für den Widerstand gearbeitet hatte.

Magda war zäh. Sie hatte bereits eine ganze Weile in Birkenau verbracht—ein Jahr vielleicht—bevor wir uns trafen und hatte sich schon einmal von Typhus erholt. Sie wusste, wie der Laden lief. Als wir uns kennenlernten, war sie allein, aber kurz darauf traf sie ein Mädchen aus Budapest, das auch Magda hieß. Sie war etwas jünger, Ipis Alter. Also nannten wir sie Kleine Magda oder Kis Magda. Es stellte sich später heraus, dass sie Magdas Cousine war, obwohl sich ihre Familien nicht nahe standen.

Da gab es noch ein anderes Mädchen, welches Kis Magda kannte und auch Teil unserer kleinen Gruppe sein wollte. Sie ähnelte der ungarischen Sängerin und Schauspielerin Katalin Karady, die zu der Zeit sehr populär war. Aber sie passte nicht so richtig bei uns rein.

Unsere Familie und die von Cousine Edith hatten sich in Munkács nicht besonders nahe gestanden—tatsächlich erinnere ich mich nicht daran, auch nur ein einziges Mal bei ihr zuhause gewesen zu sein. Ipi hatte mehr mit Edith zu tun gehabt und war relativ eng mit ihr befreundet gewesen, weil sie etwa im selben Alter waren.

Ich weiß, dass sich Edith in demselben Transport befunden hatte wie wir, aber in einem anderen Wagon. Es war während Mengeles Selektion, dass Ipi sie in der Menge ausmachte—so wurden wir zusammen nach rechts geschickt. Sie war völlig allein gewesen, aber von dem Moment an dachten alle, wir wären Schwestern.

Also waren wir für einen Großteil unserer Zeit in Auschwitz zu fünft.

Aus irgendeinem Grund hatte Magda mich aus einer Gruppe von Mädchen herausgepickt und zu ihrer Freundin gemacht. Sie war um die zweiundzwanzig und verstand mehr von der Welt als der Rest von uns. Wir beide wurden ein Team. Ich war achtzehn und zusammen fühlten wir uns für die anderen drei verantwortlich.

Ipi und Kis Magda waren sechzehn und Edith nur fünfzehn. Zumeist hörten sie auf uns, doch Edith war immer am trotzigsten und wohl auch am fragilsten. Ipi behandelte mich zu dem Zeitpunkt, als wäre ich ihre Mutter; sie und Edith waren auf mich angewiesen. Wenn ich also in der Lage war, etwas mehr Brot zu besorgen, stellte ich sicher, dass sie es zuerst bekamen.

Das war unsere kleine Bande: zwei Frauen und drei Mädchen. Wir hielten zusammen.

Ich schätze, dass war einfach unsere Art zu überleben. Wir versuchten uns von anderen fernzuhalten und waren vorsichtig mit dem, was wir sagten, so wie Vater uns angewiesen hatte. Ein viel größeres Problem damals—und bis heute eine schreckliche Erinnerung—waren die Gespräche mit den Neuankömmlingen.

Ipi und ich hatten dieselben Schwierigkeiten. Wann immer uns Leute aus neu angekommenen Transporten Dinge fragten wie „Werden wir unsere Kinder wiedersehen?" oder „Werden wir unseren Vater wiedersehen?", antworteten wir schweren Herzens mit „ja". Noch heute verspüren wir Reue deswegen, denn wir wussten, wie sie—und die meisten ihrer Angehörigen— wahrscheinlich enden würden. Doch wir dachten, dass es einfacher sein würde, dem Tod unwissend entgegenzutreten, anstatt ihm angsterfüllt ins Gesicht schauen zu müssen.

Ich hätte mich schuldig gefühlt, wenn ich die Mädchen nicht zusammen mit Magda angeführt hätte. Außerdem waren Magda und ich ein Team und sie hätte nie zugelassen, dass ich meine Rolle vernachlässige. Sie hatte mich ausgewählt, obwohl sie so viel mehr Lebenserfahrung hatte als ich. In unserer kleinen Gruppe, die sich umeinander kümmerte, war es einfacher an einem Fünkchen Hoffnung festzuhalten. Doch wir waren täglich der Hoffnungslosigkeit um uns herum ausgesetzt. Es gab nicht wirklich Grund an unser Überleben zu glauben: der Tod war allgegenwertig.

Die Wahrheit

Juni 1944 — Ruthie

Ich verlor mich im Alltag des Lagers: Zählappell, Arbeit, Zählappell, Arbeit. Zu Beginn mussten wir von Lager A zum Lagerhaus, in dem wir arbeiteten, laufen. Es war ein ziemlich weiter Weg—wir brauchten zirka eine halbe Stunde. Später wurden wir in Baracken neben dem Lagerhaus umgesiedelt.

Ich erinnere mich noch genau an den Moment, als ich begann die Wahrheit zu verstehen. Wir waren noch nicht lange in Auschwitz gewesen. Ich musste mich erleichtern, also verließ ich die Baracke und ging nach draußen zum Fass. Auf dem Weg traf ich auf eine Frau aus Munkács, die ich auch in der Backsteinfabrik gesehen hatte. „Siehst du diesen Haufen Asche?", fragte sie. „Dort liegen deine Eltern, Brüder und Schwestern." Ich starrte sie an. Woher sollte sie das wissen? Man hatte uns erklärt, dass die SS mit den Flammen, welche ständig aus den Schornsteinen emporstiegen, Menschen verbrannten. Aber das konnte nicht sein.

Nicht lange danach verstand ich es endlich.

Nicht weit entfernt von den Lagerhäusern gab es ein Gebäude aus Backstein. Es hatte kleine Fenster, die durch Stangen und Vorhänge verdeckt waren. Eines war ein wenig geöffnet, doch ich konnte nicht hineingucken. Plötzlich brach ein Aufruhr aus. Ich hörte Schreie und wildes Pochen an den Wänden. Die Stimmen wurden lauter und lauter und dann ließ eine Frau das *Schma Israel* verlauten. Ein kleines Kind griff die Stangen und weinte. Dann kam ein SS-Offizier ans Fenster und zog den Vorhang von außen zu. Die Geräusche verstummten.

Es war also wahr; die Frau aus Munkács hatte tatsächlich recht gehabt. Später schrieb ich: „Sie konnten nicht alle in den Krematorien verbrennen. Sie hatten nicht genug Platz für so viele Menschen, daher gab es zwei offene Feuer. Jene, die dort landeten, wurden nie zum Arbeiten gebracht. Dort endeten all die, welche bei den drei täglichen Selektionen nicht nach rechts geschickt wurden."

All die entsetzlichen Geschichten waren wahr. Diese unschuldigen Leute, gerade erst aus dem Zug gestiegen, wurden vergast, ihre leblosen Körper in Öfen geschmissen und verbrannt—die Flammen, die Rauchschwaden, die dicken Staubpartikel und der faule Gestank kamen von ihren brennenden Leichen. Irgendwie schaffte ich es zurück zu den Baracken. Ich war völlig schockiert und schrie: „Ich weiß alles! Ich kenne die Wahrheit!"

Manci rannte zu mir und ohrfeigte mich immer wieder, bis ich auf dem Boden zusammenbrach. Ihre Schlägen schmerzten, doch sie wusste, was sie tat. Meine Schreie hätten die SS alarmieren können. Sie hätten mich auf der Stellen getötet und vielleicht auch die anderen Mädchen aus den Baracken geschleppt und umgebracht.

Wie sollte ich von da an weiter arbeiten? Das fragte ich mich den Rest des Tages. Doch wir waren fest entschlossen zu überleben, also blieb mir nichts anderes übrig. Auch Manci und Edith traf das ganze schwer. Ich kann nicht sagen wie, aber wir schafften es weiter in Kanada zur Arbeit zur gehen und wie Maschinen das Sortieren fortzuführen.

Wir machten einfach unsere Arbeit. Sie wurde zur willkommenen Ablenkung, welche die dunklen Gedanken zumindest ein wenig fernhielt. Wir wurden von einem guten Kapo überwacht, der zumeist nett zu uns war. Außerdem hatten wir kleine Kapseln, die man anzünden und brennen lassen konnte, mit denen wir uns einen kleinen Ofen bastelten und Dinge kochten. Eine von uns stand dann draußen und wenn SS-Wachen kamen, sagte diese Person „Geshen", unser Codewort, woraufhin wir alles schnell versteckten.

Wichtig war uns auch, dass wir versuchten uns daran zu erinnern, wer wir waren und woher wir kamen. Einem der Mädchen in unseren Baracken gelang es einen Kalender reinzuschmuggeln, wodurch wir wussten, wann die jüdischen Feiertage waren. Diese heiligen Tage waren mir zu dem Zeitpunkt wichtiger als je zuvor. Wir lasen still die Gebete aus einem Machsor, den wir unter den Klammotten in Kanada gefunden hatten. Ich flehte *HaSchem* an, mich überleben zu lassen und meinen Namen sowie die Namen meiner Familie und Freunde im Buch des Lebens zu verzeichnen.

Doch all dies war den Nazis bewusst und sie organisierten ihre Selektionen in den Ghettos und Konzentrationslagern gezielt an jüdischen Feiertagen. Viele neue Transporte aus ganz Europa kamen an *Jom Kippur* an. An diesen Tagen standen wir morgens und abends draußen zum Zählappell und atmeten die frisch verbrannte Asche ein.

Schande über dich

Juli-November 1944 — Manci

Mir war bewusst, dass mehr und mehr Transporte das Lager erreichten. Über den Sommer hinweg schien die Frequenz weiter zu steigen. Wir waren gezwungen wie im Fieberwahn zu arbeiten, sogar bei Nacht.

Suizid war an der Tagesordnung. Einige waren schon länger im Lager gewesen und ihre Hoffnungslosigkeit war wohl zu groß geworden. Die Transporte kamen zumeist aus Ungarn, der Tschechoslowakei und Jugoslawien. Aus irgendeinem Grund schien es, als wären es vor allem griechische Frauen, die Selbstmord begangen. Wir waren von elektrischen Zäunen umgeben. Du musstest nur zugreifen und schon war es vorbei.

Die Tage begannen zu verschwimmen. Appell. Arbeit. Appell. Arbeit. Appell.

Viele unserer Kapos waren slowakische Frauen. Einige davon waren nicht allzu schlimm, doch es gab welche, die brutaler waren als die SS. Die Nazis hatten kein Interesse daran, ihre Arbeit zu überwachen, also mussten sie ständig ihre eigene Macht unter Beweis stellen. Ihnen wurde eine Uniform gegeben und sie erhielten besseres Essen. Daher nahmen sie ihre Arbeit besonders ernst, um ihre Privilegien zu behalten. Sie fanden ständig Gründe dich zu schlagen und versuchten die Nazi-Wachen zu beeindrucken, zu zeigen, dass sie alles unter Kontrolle hatten.

Ich erinnere mich an eine Kapo namens Yoli. Sie war nicht darauf aus, jemanden grundlos wehzutun. Aber dann gab es eine andere Kapo, die Manci hieß, genau wie ich, und aus der Slowakei stammte. Sie war groß und stark und bösartig. Unsere Nummern waren auf all unsere Klammotten genäht worden. Doch ab und zu trugen wir Strümpfe oder etwas anderes, das wir gefunden hatten, weil es wärmer war. Irgendwann erwischte sie Ipi dabei, wie sie einen Pullover an hatte, den wir beim Sortieren gefunden hatten und auf dem keine Nummer genäht war. Sie versetzte ihr einen heftigen Schlag, sodass Ipi zu Boden fiel, wo Manci weiter auf sie einschlug. Auch sie war Jüdin—das waren die meisten Kapos— und trotzdem verging sie sich so schrecklich an uns. Erschütternd. Ich brüllte: „Schande über dich!" Dann hörte sie endlich auf.

Die anderen Mädchen hätten mir zur Seite gestanden, hätte ich Manci angegriffen. Doch wir wussten einfach nicht, wie die SS reagieren würde. Manchmal ignorierten sie etwas einfach, als ob es sie nicht kümmerte, doch genauso oft geschah es, dass ein Mädchen nach draußen gezerrt und auf der Stelle hingerichtet wurde.

Trotz allem gab es auch Situationen—und vor allem Menschen— die unsere Stimmung hoben. Zum Beispiel nutzen wir morgens dieselben Wasserpumpen wie eine Gruppe Männer, weil wir neben ihrem Lager wohnten. Ein Franzose unter ihnen war besonders freundlich. Wir unterhielten uns und manchmal steckte er mir sogar Brot zu. Es gab immer einen Weg an zusätzliches Essen ranzukommen. Man tat, was man konnte, um zu überleben.

Natürlich war dies nicht das Bild, welches die Nazis nach außen tragen wollten. Wir hatten ein Orchester. Es gab einen Pavillon und eine Bühne. Die SS händigte Instrumente an Insassen aus, die vor dem Krieg talentierte Musiker gewesen waren. Das Rote Kreuz kam zu Besuch und ein Konzert wurde veranstaltet, welches per Radio in die Außenwelt übertragen wurde. Die Musiker hatten keine Wahl. Wenn sie weiterleben wollten, mussten sie spielen. Und um das ganze wahrlich grausam zu machen, befand sich die Bühne direkt neben einem Krematorium.

Du wolltest leben, doch dein Leben zog wie hinter einer Nebelwand an dir vorbei. Ich weiß nicht, was uns weitermachen ließ. Ich kann es wirklich nicht sagen. Vielleicht hatte ich einfach keine Wahl. Es war meine Verantwortung—zusammen mit Magda —mich um die anderen zu kümmern. Es war, was meine Eltern— vor allem mein Vater—von mir erwartet hätten.

Im Herbst begann sich das Lager zu verändern. Wir hörten Leute sagen, dass die Deutschen den Krieg verloren. Die Rote Armee näherte sich von Osten und stach immer weiter in unsere Richtung vor. Die im Sommer und frühen Herbst noch so absurd hohe Anzahl von Transporten wurde kleiner. Deswegen hatten auch wir in Kanada weniger zu tun. Wir wussten nicht, was das alles für uns bedeuten sollte. Zumindest mussten wir nicht mehr so viele Besitztümer von Menschen sortieren, die in einem Krematorium landeten.

Die Maschinerie des Tötens verlangsamte sich, doch wir gingen davon aus, die nächsten zu sein. Die Nazis würden uns niemals erlauben das Lager lebend zu verlassen: Wir hatten zu viel gesehen.

Sonderkommando

Juli-November 1944 — Ruthie

Es war, als wäre ich von Geistern umgeben. Abgesehen von den Dingen im Lagerhaus mussten wir auch zurückgebliebene Klammotten aus der Sauna entfernen. Man musste ständig an die ehemaligen Besitzer denken; daran, wie die SS sie belogen hatte, ihnen weisgemacht hatte, dass sich ihr Leben bald bessern würde.

Eine Tages bekam ich die Ankunft eines riesigen Transports mit. Aus den Wagons traten sehr alte Menschen, Kinder, Mütter und Väter. Ein Mann mit zerrissenen Schuhen lief an mir vorbei und zufällig fielen ihm genau dann seine Schuhe von den Füßen. Als er sich bückte, um die Schuhe aufzuheben, wurde er von einem SS-Soldaten geschlagen. Daraufhin sagte der Soldat: „Wo du hingehst, bekommst du neue Schuhe." Der Mann sah mich nur wenige Meter hinter dem Zaun stehen und fragte: „Ist das wahr?" Ich nickte mit Tränen in meinen Augen und sagte: „Ja." Was sonst hätte ich ihm sagen sollen?

Doch es waren die Sonderkommandos, die es von uns allen am schlimmsten traf. Das waren die Gefangenen von Auschwitz, welche dazu gezwungen wurden in den Gaskammern und Krematorien zu arbeiten. Sie mussten die Leichen aus den Gaskammern räumen und sie dann lüften. Nur wenige Momente nachdem das letzte Wimmern im Inneren verstummt war, zogen sie sich spezielle Masken über das Gesicht, öffneten die Türen und traten in die Kammer. Sie mussten außerdem schwere Gummistiefel tragen, weil sie die Körper mit Wasser abspritzen mussten. Danach mussten die Leichen herausgeschleppt und zum

Verbrennen in die Krematorien gebracht werden. Sie mussten den Raum ausspülen—Blut, Erbrochenes und Exkremente bedeckten den Zementboden und die gefliesten Wände.

Die SS bestach sie mit besseren Unterkünften, ausreichend Essen und einer guten Menge Alkohol, aber die Arbeit brachte viele von ihnen um den Verstand. Es kam vor, dass sie Familie oder Freunde aus ihrer Heimat unter den Opfern erkannten. Und sie wussten, dass sie das Lager nie verlassen würden. Sie hatten zu viel gesehen. In regelmäßigen Abständen—nach ein paar kurzen Monaten—war ihre Zeit abgelaufen. Sie wurden vor einem Erschießungskommando aufgereiht und erschossen. Dann übernahm ein neues Sonderkommando ihren Posten und das ganze fing von vorne an. Der erste Auftrag war ihre Vorgänger in die Öfen zu schmeißen. Wenn sie nicht arbeiteten, dann tranken sie, um ihre Nerven zu beruhigen. Doch ähnlich wie ein Arzt mussten sie jederzeit auf Abruf bereitstehen. Wann immer ein neuer Transport ankam, gab es Arbeit für sie.

Einmal erkannte ich ein paar Männer aus Munkács. Einer davon war Dr. Peter Zoltan, ein Dermatologe. Als ich dabei war Gerste zu kochen und ihn auf der anderen Seite des Zauns sah, schob ich ihm etwas davon herüber. Es gab großen Aufruhr, weil ich stolperte und den Draht berührte, doch es lief gerade kein Strom hindurch. Die Leute sagten, es sei Schicksal, dass ich noch am Leben war—zuerst Mengele und dann das.

Irgendwann um den Oktober herum gab es Gerüchte über den Aufstand eines Sonderkommandos. Sie wussten, wie sie enden würden, wenn sie nichts taten. Einige weibliche Gefangene hatten kleine Mengen Schießpulver in das Lager geschmuggelt und das Sonderkommando plante ein Krematorium in die Luft zu jagen.

Und tatsächlich gelang es ihnen. Die Explosion hallte im gesamten Lager wider und die Erschütterung brachte den Boden zum beben. Ich merkte mir die genaue Uhrzeit und schrieb später in mein Tagebuch: „Es ist Freitag. Es ist elf Uhr morgens. Durch das Fenster der Baracke kann ich einen schwarzen Turm aus Rauch sehen.

Später sehe ich Flammen. Welch ein fürchterliches und wunderbares Gefühl so etwas mit anzusehen und mit anzuhören. Mein Volk war noch immer bereit zu kämpfen."

Es dauerte nicht lange, bis die SS-Wachen zur Stelle waren. Sie versuchten das Feuer zu löschen und die Verantwortlichen ausfindig zu machen. Einer von ihnen, ein Grieche, floh in unsere Baracke und wir versteckten ihn unter einem Haufen Decken. Jedoch wurde er von einer Kapo gefunden und um sich selbst nicht in Gefahr zu bringen, händigte sie ihn an die Nazis aus. Hunderte von Insassen wurden nach der Meuterei erschossen. Die Anführer wurden öffentlich auf dem Appellplatz gehängt.

In den Wochen darauf entschied die SS, dass es keinen Grund gab, die Sonderkommandos am Leben zu lassen. Massenhinrichtungen fanden statt. Peter Zoltan war eines der Opfer. Auf dem Weg in ihre Gräber konnten wir die Männer der Sonderkommandos—mutige Männer—die *Hatikvah* singen hören.

TEIL IV

AUF DER FLUCHT

1944-1945

Nach einer Großoffensive der Roten Armee im Sommer 1944 wurde das Nazi-Konzentrationslager Lublin/Majdanek im Osten Weißrusslands als erstes von den Sowjets eingenommen. Kurz darauf kam aus Deutschland der Befehl, dass jedes Lager die Evakuierung seiner Insassen nach Deutschland vorbereiten sollte.

Hauptsächlich versuchte man mit dieser Maßnahme zu verhindern, dass die Gefangenen in die Hände der Alliierten gelangten und von dem erzählten, was ihnen widerfahren war. Außerdem benötigte das Nazi-Regime noch immer Zwangsarbeiter zur Herstellung von Waffen. Gleichzeitig hofften einige Anführer Insassen der Konzentrationslager als Geiseln für eigenständige Friedensverhandlungen mit den sich stetig nähernden Alliierten zu nutzen.

Die schlussendliche Evakuierung von Auschwitz wurde durch einen Befehl am 21. Dezember 1944 in Gang gesetzt. Es wurde angewiesen, alle Kriegsgefangenen, Zwangsarbeiter und anderen Insassen nach Deutschland zu bringen, wo sie für Arbeitszwecke verteilt werden sollten.

Die wirkliche Evakuierung von Auschwitz begann am 18. Januar 1945, als etwa 56.000 Gefangene den fünfundsechzig Kilometer Marsch gen Westen angingen. Das Ziel war eine Zugstation in Wodzisław. Eine weitere große Gruppe wurde die fünfzig Kilometer nach Gleiwitz gescheucht. Auf dem Weg dahin reihten sich Gefangene aus anderen Lagern bei ihnen ein. Viele derer, die zu krank oder schwach waren, die Reise auf sich zu nehmen, wurden von SS-Wachen getötet, welche ebenfalls die Aufgabe hatten Dokumente zu zerstören und Beweise zu vernichten. Die Krematorien wurden in die Luft gejagt. Am 27. Januar 1945 erreichte die sowjetische Armee die Lager in Auschwitz und befreite über 6.000 Insassen, die meisten davon todkrank.

Während der Todesmärsche folgten die SS-Wachen dem strikten Befehl, jeden Gefangenen, der nicht mithalten konnte, sofort zu töten. Viele wurden einfach dort erschossen, wo sie erschöpft zu Boden gefallen waren. Hinzu kam, dass das Wetter in Osteuropa im Winter 1944-45 besonders brutal war. Tausende starben an Hunger und Kälte.

Im Westen kapitulierten die deutschen Truppen am 7. Mai und im Osten nur zwei Tage später. Bis dahin nahmen die Todesmärsche ihren Lauf.

Die Entscheidung

15. Dezember 1944 — Manci

Mir war bewusst, dass die Dinge sich veränderten. In den letzten Wochen und Monaten war die Zahl der Transporte immer kleiner geworden. Etwas lag in der Luft. Es gab Gerüchte vom Krieg; davon, dass die Russen kamen. Wir konnten Artilleriefeuer und Bomben hören, weit weg im Osten, aber jeden Tag ein wenig näher.

Bei einem Zählappell Anfang Dezember fragten die Wachen plötzlich nach Freiwilligen. Falls keiner vortreten sollte, sagten sie,

sie würden einfach selber welche aussuchen. Wofür? Sie erklärten einem nie wirklich etwas—man konnte sich nie sicher sein, was geschehen würde oder was man tun sollte. Sie erklärten, dass es um einen „privaten Transport" ginge, angeführt von einer Zivilperson.

Magda und ich fühlten uns in gewisser Weise wie zwei Eltern. Ich weiß noch, wie ich sagte: „Wir kommen hier niemals weg. Wenn wir hier bleiben, haben wir keine Chance. Wir gehen nicht wirklich ein Risiko ein, wenn wir uns entscheiden jetzt zu gehen." Magda und ich trafen die Entscheidung. Wir erklärten es den anderen und wir alle meldeten uns freiwillig. Wir waren uns einfach so sicher, dass die SS niemanden in Auschwitz am Leben lassen würde.

Das Problem war, dass Edith krank war. Zunächst wollten sie sie nicht für diesen Transport akzeptieren, doch wir blieben hartnäckig. Wir bestanden darauf, dass wir zusammengehörten.

Wochenlang passierte nichts. Zu bleiben bedeutete vielleicht getötet zu werden, sobald die Rote Armee ankam; der „private Transport" bedeutete vielleicht nur eine weitere grausame Art uns umzubringen. Ab einem gewissen Punkt war es einem egal. Man musste sich einfach entscheiden. War das alles eine Finte, um uns in kleineren Gruppen auszuschalten oder würden wir wirklich irgendwo zum Arbeiten geschickt werden, wo unsere Überlebenschancen besser waren als in Auschwitz?

Die Gerüchte nahmen zu und die Bomben wurden lauter.

Am 15. Dezember wurden wir fünf zusammen mit dreihundert weiteren Frauen in Viehwagen verfrachtet. Es war bitterkalt. Man gab uns einen Laib Brot und etwas Margarine. Wir hatten ein paar extra Klammotten mit und unsere Schuhe mit Papier vollgestopft, weil es so kalt war. Wir wussten nicht wohin es ging. Sie ließen uns im Dunkeln. So wie immer.

Wir verbrachten vielleicht zehn Tage im Zug. Von unserem Startpunkt in Polen fuhren wir durch die Tschechoslowakei in die

Berge und nach Deutschland. Wir machten viele Stopps auf dem Weg und verloren irgendwann jedes Zeitgefühl. Flugzeuge flogen über unseren Köpfen hinweg. Jedes Mal wenn Bomben herabfielen, versteckten sich die SS-Männer, manchmal sogar unter dem Zug. Wir fürchteten uns nicht, da wir davon ausgingen, dass sie auf die Deutschen zielten und nicht auf uns.

Wir hielten immer zusammen. Sie gaben uns essen, doch es schien als würden wir auf ewig in diesem Zug stecken, ohne zu wissen wohin es ging und ohne zu wissen, was sie mit uns vorhatten.

Wie gesagt war es ein unerträglich kalter Winter. Der Zug fuhr und fuhr, bis wir irgendwann endlich in Deutschland ankamen. Schwere Schneestürme zogen nun auch noch durchs Land. Uns war so schrecklich kalt.

Reichenbach

Dezember 1944-Februar 1945 — Ruthie

Ich wusste nicht, wohin man uns brachte, bis wir endlich dort ankamen. Reichenbach. Im tiefsten Winter waren wir aus Polen durch die Tschechoslowakei nach Deutschland gereist.

Die Deutschen hatten eine Fabrik zur Herstellung von Lampen und Flugzeugteilen. Wir wurden in einem ungeheizten Gebäude untergebracht, etwa vier Meilen von der Stadt Reichenbach entfernt, wo die Fabrik ihren Standort hatte. Das Gebäude war nicht mehr als ein großer, leerer Raum mit Zementboden.

Nach ein paar Tagen erhielten wir etwas Stroh und dünne Decken, die wir uns teilen mussten. Jeden Morgen wurden wir um vier geweckt und durchgezählt. Dann kam der lange Weg zur Fabrik. Es war ein beschwerlicher Marsch in der Dunkelheit bei eiskaltem Wetter und dichtem Schneetreiben. Es kam vor, dass ich mich durch hüfthohen Schnee kämpfen musste.

In dem vergebenen Versuch uns warm zu halten, nahmen wir Papier aus der Fabrik und wickelten es um unsere Hände und gefrorenen Füße. Es war nie genug; wir froren bitterlich.

Verglichen mit dem, was wir in Auschwitz mit angesehen und erlebt hatten, war unser Leben in Reichenbach allerdings nach außen hin fast „normal". In der Fabrik arbeiteten wir Seite an Seite mit freien Zivilisten. Natürlich wurden wir dabei trotzdem streng bewacht. Es war uns nicht erlaubt mit den anderen Arbeitern zu sprechen oder sonstig auszutauschen. Doch nach acht Monaten in Auschwitz, abgeschottet von der Außenwelt, lebten und arbeiteten wir plötzlich umgeben von normalen Bürgern.

Wir hatten echte Suppe zu Mittag: dicke Suppe. Die Treppe runter gab es eine Bäckerei. Wann immer wir dort vorbei gingen, konnten wir das leckere Brot riechen, ein solch wundervolles Aroma, so weit entfernt von den entsetzlichen Gerüchen in Auschwitz.

Jeden Abend nach der Arbeit mussten wir dieselben vier Meilen durch den Schnee zurück zu unserer eiskalten Baracke auf uns nehmen. Wir kamen an Zivilisten vorbei. Einige starrten uns verwundert an und andere verzogen hasserfüllt das Gesicht, riefen uns Obszönitäten nach und ließen verlauten, dass wir es verdienten zu sterben.

Falls in Reichenbach jemals die Sonne schien, habe ich es nicht mitbekommen.

Wir verbrachten vielleicht sechs Wochen oder zwei Monate dort, arbeiteten jeden Tag in der Fabrik und marschierten jeden Tag durch Wind, Schnee und Eiseskälte hin und zurück. Zum Ende hin ging der Fabrik die Materialien aus und wir verbrachten mehr Zeit in der Baracke.

Es brachte uns große Freude, irgendwann zu erfahren, dass einige der Fabriken in Reichenbach zerbombt worden waren. Wir waren der Überzeugung, dass die russischen Soldaten immer näher kamen und uns vielleicht retten würden. Aber dann sagte man uns, dass unsere Gruppe versetzt werden sollte. Jeder erhielt ein Kilo

Brot, ein wenig Zucker und ein kleines Stück Margarine. Damit sollten wir die nächsten vier Tage auskommen.

Diesmal gab es jedoch keinen Zug. Wir verließen Reichenbach zu Fuß. Wohin? Das wussten wir einmal mehr nicht.

Unser Pfad führte durch die Berge. Es war eine Tortur. Einige der Frauen waren einfach zu schwach um weiterzumachen. Sie sackten im Schnee zusammen, wo sie sofort erschossen und aus dem Weg geschoben wurden.

Von Trautenau nach Hamburg

Februar-April 1945 — Manci

Ich weiß nicht, wie viele von uns es schafften. Was ich weiß ist, dass sie jeden aus Reichenbach mitnahmen. Doch diesmal gab es keinen Transport. Man zwang uns jeden Tag fünfundzwanzig bis dreißig Kilometer durch die Berge zu laufen. Sie scheuchten uns einfach zusammen und begannen zu marschieren. Vielleicht hofften sie so den Bomben zu entgehen oder ihnen war der Treibstoff ausgegangen. Warum auch immer; wir waren zu Fuß unterwegs, streng bewacht wie immer.

Abgesehen von unserer Gruppe aus Auschwitz waren wir auch mit anderen Sklavenarbeiterinnen unterwegs, ein paar hundert insgesamt. Wir befanden uns in den Sudeten Südostdeutschlands. Der Schnee lag tief und die Kälte wäre selbst dann unerträglich gewesen, wenn wir adäquat angezogen gewesen wären. Und das waren wir nicht.

Wir rasteten, wo immer wir konnten. Eine Nacht verbrachten wir in einer Scheune, die nächste in einer Kirche, die nächste in einem Getreidespeicher und so weiter. Es war egal, solange wir ein Dach überm Kopf hatten. Bei Sonnenaufgang ging es weiter.

Einmal kamen wir in Baracken unter, in denen russische Kriegsgefangene festgehalten wurden. Doch wo auch immer du am Tagesende landetest, fielst du einfach zu Boden und schliefst ein. Wir waren so unglaublich müde. Einige der Frauen brachen einfach auf dem Weg zusammen. Sie konnten nicht mehr. Ein Schuss hallte über die Landschaft hinweg und wir marschierten weiter.

Am 16. Februar erreichten wir Trautenau, wo man uns in offene Kohlewagen verfrachtete. Nach weiteren zehn Tagen kamen wir in dem heruntergekommenen Lager Porta an. Ich glaube dort stellten wir Radios oder Telefone her; es war immer irgendetwas für den Krieg.

Die Bedingungen in Porta waren grauenhaft. Wir hatten uns nur wenige Stunden nach unserer Ankunft mit Läusen infiziert. Manci, Edith und ich versuchten die Läuse voneinander zu entfernen, doch wir bekamen sie einfach nicht los. Es kam einem so vor, als wären sie allgegenwertig; die Bisse, das Jucken, das Bluten und die entzündeten Wunden. Es gab wenig bis gar nichts zu essen, abgesehen von verfaulten Kartoffelschalen. Zum Glück war da ein deutscher Wächter, der mir heimlich Essen gab, welches ich mit Ipi und den anderen teilen konnte. Er war nett und gab mir sogar ein kleines Taschenmesser mit meinem Namen darauf. Ich habe es bis heute behalten.

Wir verließen Porta einen schrecklichen Monat später und reisten in geschlossenen Wagen nach Bensdorf und von da aus an einen Ort namens Ludwigslust. Es schien, als wären wir der Roten Armee immer nur einen Schritt voraus. Irgendwann befanden wir uns in einer Flugzeugfabrik, die aussah, als hätte man sie direkt in den Fels der Berge gehauen. Sie war gigantisch—gefüllt mit Kampfjets, Flugzeugteilen und allem möglichen an Werkzeug. Man führte uns zu Arbeitstischen und befahl uns Teile für die Flugzeuge zusammenzusetzen.

Und dann ging es schon wieder weiter. Diesmal landeten wir noch weiter im Norden des Landes, in Hamburg und Altona. Dort gehörten wir zu einer durch Ketten miteinander verbundenen Arbeitergruppe, die mit Schaufeln und Schubkarren Gruben aushob und Straßen reparierte. Das ging nur etwa zwei Wochen so. Dann wartete schon der nächste SS-Transport auf uns. Aber der Zug war diesmal deutlich kleiner, weil nicht mehr viele von uns übrig waren.

Merkwürdige Stille

30. April 1945 — Ruthie

Ich hatte noch immer Hoffnung. Man musste an sein eigenes Überleben glauben. Wir schienen nie weit vom Vormarsch der Roten Armee entfernt zu sein. Bomben und Artilleriefeuer wurden unsere ständigen Begleiter. Jeder Tag glich dem nächsten. Von Morgengrauen bis Sonnenuntergang marschierten wir. Wir marschierten und marschierten. Unsere Zahl schrumpfte. Mehr und mehr Frauen starben. Ich sah, wie sie zu Boden sackten. Ein lauter Schuss. Dann wurde der Körper über den Straßenrand getreten.

Auch wir waren dem Tod nahe. Wir waren nur noch Haut und Knochen, schmutzig und von Läusen befallen. Wir waren von Narben übersät; Erinnerungen an die Schläge der Nazis und Kapos. Ich hatte starke Schmerzen im Knie und eine offene Wunde am Bein. Mir war klar, dass ich medizinische Hilfe benötigte. Wir fürchteten, dass jeder neue Tag der letzte sein könnte. Es war unvorstellbar, dass die SS-Truppen jemals aufgeben würden. Und wenn doch, dann würden sie uns sicherlich vorher töten.

Mein Geburtstag zog an mir vorbei, ohne, dass ich es merkte. Regen und Kälte waren unerbittlich und wir wurden von einem Ort zum nächsten beordert. Es kam der Punkt, an dem wir aufwachten und unsere Decken um unsere Körper herum starr gefroren waren.

Irgendwann im späten April stoppte der Zug, den wir in Hamburg bestiegen hatten. Er war eine Weile langsam über die Schienen gerollt und wir standen, wie schon so oft zuvor, dicht gedrängt in der Dunkelheit. Wir gingen davon aus, dass sich die Schiebetüren jeden Moment öffnen würden. Doch das taten sie nicht.

Wir warteten. Die Zeit verging—vielleicht war es eine ganze Stunde—und nichts geschah. Wir waren von einer merkwürdigen Stille umgeben—eine unheimliche Stille, welche ich bis heute nicht richtig beschreiben kann.

Eines der Mädchen näherte sich nervös einer Spalte in der Wand und schaute raus. Ihr entfuhr ein lauter Schrei: „Da ist keiner!" Doch wir hatten keine Ahnung, was das bedeutete. War das ein Trick? Wir wurden den Gedanken nicht los, dass die SS irgendwo da draußen wartete, um uns auszulöschen. Oder hatten uns die Russen endlich eingeholt und unsere Wachen in die Flucht geschlagen?

Wir befanden uns nicht an einer Zugstation. Wir mussten wohl nahe der dänischen Grenze sein, doch wir wussten keineswegs wo genau. Irgendwo im nirgendwo. Mehr Zeit verging und wir warteten einfach weiter.

Dann öffnete eines der Mädchen endlich die Türen. Leute rannten uns entgegen. Es waren nicht die SS-Wachen und es waren keine russischen Soldaten oder sonst jemand in Uniform. Es waren Dänen. Normale Menschen aus einer naheliegenden Stadt, die kamen, um uns zu helfen. Wir stellten ihnen unendlich viele Fragen: Passierte das alles wirklich? Waren wir wahrhaftig frei? Sie mussten uns dessen wieder und wieder versichern. Es war einfach so schwer zu glauben.

Es war vorbei. Wir waren frei. Es war der 30. April 1945, fast ein Jahr nach unserer Ankunft in Auschwitz. Mehr als drei Monate waren vergangen, seitdem wir unseren langen Marsch durch die Berge begonnen hatten, von Polen durch die Tschechoslowakei nach Deutschland. Unsere Peiniger waren einfach verschwunden und zwar an dem Tag—dies fanden wir später heraus—an dem Adolf Hitler Selbstmord begangen hatte.

Wir umarmten und küssten einander, weinten und schrien, vergossen Tränen der Freude, des Schmerzes und der Trauer. All das war so schwer zu glauben, wie die ersten Sekunden nachdem man von einem Alptraum erwacht, fiebernd und schweißgebadet und verwirrt.

Wir fünf hatten überlebt.

TEIL V

PARADIES

1945-1946

Nachdem Deutschland im Jahr 1940 Polen bezwang, fielen die Nazis in Norwegen und Dänemark ein. Im nächsten Jahr schloss Finnland sich Deutschland und den Achsenmächten im Kampf gegen die Sowjetunion an, um verlorenes Territorium zurückzugewinnen. Schweden blieb als einziges skandinavisches Land den gesamten Konflikt über neutral.

Die meisten Personen im besetzten Europa nahmen nicht aktiv an der Verfolgung der Juden durch die Nazis teil. Gleichzeitig wurde nicht viel getan, um Juden und anderen Zielen des Genozids zu helfen. Dänemark war eine Ausnahme. Im Jahr 1943, nachdem bekannt wurde, dass die Nazis planten dänische Juden zu deportieren, organisierten die Dänen ein nationales Unterfangen, in dem sie versuchten, ihre jüdische Population übers Wasser in das neutrale Schweden zu schmuggeln. In weniger als einem Monat wurden 7.000 Juden erfolgreich versteckt und die meisten davon mit Hilfe dänischer Fischer nach Schweden gebracht.

Die deutsche Invasion von Ungarn im Jahr 1944 führte zu weiteren signifikanten Aktionen zur Rettung von Juden. Raoul Wallenberg, ein schwedischer Diplomat, wurde im Juli desselben Jahres als Repräsentant des neu geformten und von den USA angeführten

War Refugee Board nach Budapest gesandt. Dort begann er Juden „schützende Reisepässe" auszustellen, während er mit den deutschen und ungarischen Autoritäten verhandelte und sie bestach. Mit privaten Geldern mietete er Gebäude und erklärte sie zu schwedischen Bibliotheken und Instituten, welcher er mit großen Flaggen als solche markierte. Diese Gebäude wurden dann als Unterkünfte für ungarische Juden genutzt. Wallenberg wird als Retter von zehntausenden Juden im von den Nazis besetzten Ungarn gefeiert. Andere, wie Joel Brand, eine führende Figur der *Relief and Recovery Committee* in Ungarn, versuchten Fahrzeuge und andere Materialien gegen jüdische Gefangene zu tauschen.

Zur selben Zeit verhandelte der schwedische Graf und Diplomat Folke Bernadotte die Freilassung von Gefangenen aus Nazi-Konzentrationslagern. Als Vizepräsident des schwedischen Roten Kreuzes führte er die Aktion „Weiße Busse" an, bei der das schwedische Rote Kreuze und die dänische Regierung im Frühling 1945 Busse in von Deutschland kontrolliertes Gebiet schickten, um dort Flüchtende und Insassen aus Konzentrationslagern zu retten und nach Schweden zu bringen. Obwohl sie ursprünglich darauf abgezielt hatte Bürger skandinavischer Länder zu retten, wurde sie schon bald auf die Rettung von Bürgern anderer Länder ausgeweitet.

Haferbrei und ein Prinz

Mai 1945 — Manci

Wir müssen schrecklich ausgesehen haben: hunderte von Frauen, nicht mehr als Stoppel auf dem Kopf und Stofffetzen an unseren abgemagerten Körpern.

Die Anwohner wussten nicht, wer wir waren und wir wussten nicht, wo wir waren. Sie wohnten wahrscheinlich nicht weit weg. Die SS hatte das Lager in Hamburg komplett geräumt, daher waren wir jetzt wieder eine größere Gruppe. Wir verstanden nicht, was vor sich ging. Die Anwohner sprachen etwas deutsch, also fragten sie uns, wer wir waren. „Wir sind Gefangene aus Hamburg", antworteten wir.

Das Rote Kreuz war schnell zur Stelle. Wir verweilten zunächst im Zug, doch sie brachten uns Essen. Haferbrei, nichts als Haferbrei. Unsere Mägen waren geschrumpft und es wäre zu gefährlich gewesen sich nach so langer Unterernährung mit gehaltvollem Essen vollzustopfen. Man gab uns Wasser und schwachen Tee gegen die Dehydrierung.

Wir wurden von Ärzten untersucht. Sie betrachteten unsere ausgezehrten Körper, die von Läusen befallene Haut und die vielen Narben. Wir trugen nicht mehr als Fetzen, welche lose von unserem Gerippe hingen und doch hatten wir noch Glück, denn wir waren zumindest in der Lage zu gehen, während andere mit Hungerleiden und Typhus ans Bett gefesselt waren. Ipis Kniewunde wurde gewaschen, aber sie war entzündet und brauchte weitere Behandlung.

Außerdem gaben sie uns Klammotten. Richtige Klammotten! Wir alle bekamen dasselbe, ein braunes Kleid mit weißem Kragen. Es machte mir solche Freude—die erste richtige Kleidung, seitdem wir ein Jahr zuvor aus Munkács verschleppt worden waren—dass ich es noch heute vor mir sehen kann. Decken brachten sie uns auch. Dicke, warme, gemütliche Decken. So gelang es uns, für ein paar Stunden zu schlafen, obwohl wir so aufgeregt waren.

Am nächsten Tag wurden wir zu einem Badehaus gebracht, um entlaust und desinfiziert zu werden. Wir durften dicke Seife benutzen und so lange duschen, wie wir mochten. Welch ein Luxus. Schon bald darauf gab man uns noch mehr neue Klammotten und Schuhe, die passten.

Sogar hohen Besuch bekamen wir. Ein dänischer Prinz kam vorbei, um uns zu sehen. Er war ein großgewachsener, attraktiver Mann und sprach zu uns mit Worten der Hoffnung und Ermutigung. Es war ihm wichtig, jeder von uns die Hand zu schütteln. Wir alle waren sehr davon beeindruckt, dass sich jemand so wichtiges an unserem Schicksal interessierte.

In meiner Anwesenheit soll niemand jemals etwas schlechtes über Dänemark oder die Dänen sagen. Sie waren so außerordentlich gut zu uns.

Was ich damals nicht verstand und bis heute nicht weiß ist, wieso wir verschont worden waren. Waren wir nur Sklavenarbeiterinnen? Damals erklärte man uns, wir wären Teil eines Abkommens gewesen. Scheinbar hatte Schweden versucht jüdische Gefangene gegen Stahl zu tauschen. Oder war es eine Rettungsmission vom schwedischen Roten Kreuz?

All die Zeit über—erst im Lager und dann auf dem langen Marsch durch Europa—wussten wir nichts über unsere eigenen Umstände; über die Pläne, welche man gegen und für uns schmiedete. Ich erinnere mich an zwei Arten sich dem Ungewissen entgegenzustellen. Entweder man gab auf und verlor jede Hoffnung oder man beschloss, dass man sie nicht gewinnen lassen würde. Aber um ehrlich zu sein glaubte man selbst dann nicht daran, es herauszuschaffen.

Und doch war es uns gelungen. Irgendwie hatten wir das alles überlebt.

Quarantäne

Mai-August 1945 — Ruthie

Ich hatte sicherlich keine guten Erinnerungen an Züge. Aber da standen wir nun: vierhundert flüchtende Frauen und Mädchen in einem richtigen Zug mit komfortablen Sitzen. Ich blickte aus dem Fenster und erfreute mich an der malerischen Landschaft. Freiheit fühlte sich so wundervoll an.

Nach einem kurzen Aufenthalt in Dänemark organisierte das Rote Kreuz unsere Reise in die schwedische Stadt Malmø. Wir trugen saubere Kleidung, aßen richtiges Essen und waren noch immer alle zusammen: Manci, Edith, Magda, Kis Magda und ich. Man konnte sich kaum vorstellen, dass wir vor nur wenigen Wochen im tiefsten Winter durch die Berge marschiert waren und Gruben ausgehoben hatten, das alles unter ständiger Bewachung der Nazis.

Damals hatte ich irgendwo in den Sudeten einen kleinen Eimer gefunden. Später hatten wir auch etwas Salz gefunden, also hatte ich das Salz in den Eimer getan und mitgenommen. Als wir die nördliche Spitze Dänemarks erreichten, betraten wir eine Fähre nach Malmø. Den Eimer hatte ich noch immer bei mir. Vielleicht weil keiner von uns so richtig glauben konnte, dass wir frei waren. Es war ein so komischen Gefühl. Doch irgendwann muss ich es endlich realisiert haben. Ich griff nach dem Eimer und dem Salz und warf sie über Bord. Ich brauchte sie nicht mehr, denn wir waren wirklich frei.

Wir wurden nach Helsingborg gebracht und unter Quarantäne gestellt, welche wir in einem Theater verbrachten, das zu diesem Zweck zu einer Art Wohnheim umfunktioniert wurde. Das Gebiet wurde eingezäunt und wir durften es nicht verlassen. Aber auch wenn wir unter Quarantäne standen, war es für uns wie ein Paradies.

Eine schwere Infektion in meinem Bein hatte mir seit Monaten Probleme bereitet. Die Ärzte sagten, ich hätte Glück gehabt, weil die Infektion meine Knochen nicht erreicht hatte. Edith brachte man in ein Sanatorium. Sie hatte Lungenprobleme, um die sich dringend gekümmert werden musste. Der Rest von uns nutze die Zeit, um zu essen und zu rasten—unsere Kraft zurückzugewinnen. Wir verbachten viele dieser Tage draußen in der Sonne und der frischen Luft.

Örtliche Anwohner kamen und standen hinterm Zaun, um einen Blick auf uns zu erhaschen. Vielleicht waren wir eine Kuriosität.

Einige starrten einfach, andere schüttelten bemitleidend den Kopf. Das ganze glich einem Zoo.

Doch sowie die Tage vergingen, bemerkte ich, dass es regelmäßige Besucher gab, welche kamen, um mit uns zu sprechen. Ein Mann, Louis Lindholm, war besonders nett zu mir. Er brachte immer seine Frau und seine Tochter mit sich. Einmal hatte er sogar ein Geschenk für mich dabei. In einer kleinen Schachtel verpackt, war eine wunderschöne, fein gearbeitete Halskette. Ich habe sie bis heute behalten und verwahre sie an einem besonderen Ort.

Wir verbrachten vielleicht drei Monate in Helsingborg. Es war in vielerlei Hinsicht eine einsame Zeit und wir fühlten uns weiterhin von der Außenwelt abgeschottet, aber wir beschwerten uns nicht. Zum ersten Mal seit über einem Jahr waren wir in Sicherheit.

Zu Beginn unserer Quarantäne händigte das Rote Kreuz Notizhefte aus und ermutigte uns darin zu schreiben. Die Frau, die mir gut zuredete, war Thea Bank Jensen aus Stockholm. Das Heft war ein *Naplo*, ein Tagebuch. Ich dachte mir: *Gut, jetzt kann ich anfangen zu schreiben*. Tatsächlich schrieb ich eine ganze Menge. Es war alles andere als einfach für mich, doch es fühlte sich so an, als wäre es genau das, was ich brauchte. So fing es an: „Erst zwei Tage sind vergangen [6. Mai 1945], seitdem ich durch das Tor der Freiheit geschritten bin. Nun befinde ich mich in Helsingborg unter Quarantäne und da ich nichts wichtiges zu tun habe, werde ich versuchen die Geschehnisse meines jungen Lebens niederzuschreiben. Wir waren acht Kinder zuhause…"

Ich werde nie das erste Telegramm vergessen, dass wir beim Roten Kreuz erhielten. Eine Bekannte hatte es aus Munkács abgeschickt. Sie, ihr Mann und ihr Baby waren dort geblieben und hatten sich die ganze Zeit über versteckt. Wir freuten uns ungemein für sie.

Wir werden uns um alles kümmern

Mai-August 1945 — Manci

Das Rote Kreuz gab mir ein Notizheft. Sie nannten sie „Erinnerungstagebücher". Als Teil unserer Rehabilitation wurden wir ermutigt, unsere Erfahrungen aufzuschreiben.

Mein Tagebuch ist nur vier Seiten lang. Dies waren die ersten Zeilen: „Es ist am ersten Tag meiner Freiheit, im Mai des Jahres 1945, dass ich anfange hierin zu schreiben." Der folgende Text beginnt mit dem 19. März 1944, als Hendu und ich im Namen meines Vaters nach Budapest gefahren waren. Dazu schrieb ich: „Vielleicht war das der Anfang."

In dem Heft beschreibe ich die Zeit in der Backsteinfabrik, den Transport nach Auschwitz und die ersten paar Tage im Lager. Das hier sind die letzten Zeilen: „Doch am Anfang mussten wir nicht essen. Wir waren zu kaputt und orientierungslos, um Hunger zu empfinden. Und dann wurde zum ersten Appell ausgerufen! Sie schlugen und traten uns blutig und scheuchten uns auf den Hof." Danach hörte ich auf zu schreiben, weil ich es nicht aushalten konnte. Ich konnte es einfach nicht.

Nach mehreren Monaten wurden wir aus der Quarantäne entlassen und in eine kleine Stadt namens Bredaryd gebracht. Wir wurden weiterhin betreut, waren aber ansonsten frei zu tun und zu lassen, was wir wollten. Ich arbeitete für einen Fotografen. Meine Bezahlung war es, selber umsonst Fotos schießen zu dürfen. Nachdem sie sich im Sanatorium ausreichend erholt hatte, stieß auch Edith dazu.

In Schweden hatten alle Kinder unter achtzehn Schulpflicht, also schickte man Ipi und die jüngeren Mädchen zur Schule in einer anderen Stadt namens Fjallgarden. Magda und ich entschieden uns zurück nach Helsingborg zu ziehen und nahmen uns zusammen eine Wohnung. Wir arbeiteten in einem Lagerhaus, wo wir Weihnachtsdekoration verpackten. Ein ausgesprochen langweiliger Job, aber wir waren trotzdem dankbar dafür, etwas zu tun zu haben.

Irgendwann bat uns das Rote Kreuz Formulare auszufüllen, in der Hoffnung Überlebende Familienmitglieder in Europa oder sonst wo ausfindig zu machen. Wir wussten, dass keiner in unserer unmittelbaren Familie überlebt hatte. Sie alle waren in Auschwitz ermordet worden. Doch wir wussten auch, dass meine Mutter eine Schwester namens Katie hatte, die in die USA ausgewandert war. Sie hatte uns 1936 in Munkács besucht. Katie war um einiges älter als meine Mutter, weil sie eine Halbschwester aus erster Ehe war. Ihre Kinder waren etwa im Alter meiner Mutter.

Wir waren glücklich in Schweden und die Menschen dort waren gut zu uns. Uns war bewusst, dass die Dinge nie wieder so wie früher sein würden und wir hatten keine Ahnung, wie unsere Zukunft aussehen würde. Aber für den Moment fühlten wir uns sicher.

Eines Tages erreichte uns ein Telegramm aus Amerika. Tante Katie und ihr Mann Onkel Harry hatten uns geschrieben. Sie hatten unsere Namen auf der Liste gefunden, welche das Rote Kreuz veröffentlicht hatte. Ich werde das Telegramm nie vergessen: „Bleibt dort. Wir werden uns um alles kümmern."

Ich kündigte meinen Job und zog zu Ipi und Edith nach Fjallgarden. Magda hatte in Helsingborg einen Medizinstudenten kennengelernt. Er hieß Arne und kam aus Dänemark. Seine Familie war den Nazis freundlich gesinnt gewesen, also hatte er sie verlassen und ein Studium in Schweden begonnen. Die beiden verliebten sich und Magda blieb bei ihm in Helsingborg.

Man hatte für mich arrangiert, dass ich bei einer schwedischen Familie in Fjallgarden unterkommen sollte. Es war vorgesehen, dass ich dort als Dienstmädchen arbeiten würde, doch stattdessen verbrachte ich den ganzen Tag mit Ipi und Edith an ihrer Schule und wenn ich nachhause kam, war mein Bett gemacht und eine Schale mit Früchten auf dem Tisch. Sie waren so nett zu mir.

Ein Doktor mit den befreiten Mädchen in Quarantäne in Bredaryd, Schweden (1945). Ruth steht mittig in der obersten Reihe (helles Kleid) und Manci (auch in hellem Kleid) ist rechts darunter zu sehen.

Ruth, Manci und Edith in Fjallgarden, Schweden.

Ruth und Manci an einem See in Fjallgarden.

Nachdem sie aus der Quarantäne entlassen wurde, arbeitete Manci
für einen Fotografen in Bredaryd.

Die Fünfergruppe. Von links nach rechts: Manci, Edith, Ruth, Magda, Kis Magda.

Auf zur Oper

Mai-August 1945 — Ruthie

Ich lernte Englisch und Hebräisch an der Schule in Fjallgarden. Edith, Kis Magda und ich lernten außerdem zu nähen, zu stricken und zu häkeln und trugen viele unserer eigenen Kreationen. Man brachte uns bei Schminke aufzutragen und unsere zurückwachsenden Haare zu frisieren.

Monate zuvor hatten wir an der Herstellung von Flugzeugteilen für die Nazis gearbeitet und ich hatte ein paar Stücke Metall gefunden. Unsere Haare waren bei unserer Ankunft in Auschwitz abgeschnitten worden. Zum Ende unserer langen Märsche waren meine Haare dabei wieder etwas länger zu werden und dort in den Bergen kümmerte sich natürlich niemand darum sie zu schneiden. Ich schätze, ich dachte, dass ich, falls wir gerettet werden sollten und mein Haar weiter wuchs, etwas bräuchte, um es zu bändigen. Also formte ich das Metall zu einem kleinen Kamm und trug ihn den ganzen Weg bis nach Schweden in meiner Hosentasche.

Viele von uns verbrachten ihre Geburtstage in Schweden. Eine liebenswerte jüdische Familie hieß uns herzlichst in ihrem Heim willkommen und veranstaltete Geburtstagsfeiern für jedes der Mädchen. Sie bereiteten köstliches Essen zu und arrangierten es auf einem eleganten Buffettisch. Später gab es dann einen Geburtstagskuchen und wir alle sangen.

Diese Feiern waren zugleich von Glück und Trauer erfüllt, da wir unsere Familien schrecklich vermissten. Doch wir waren froh zusammen und am Leben zu sein.

Ich bewunderte die Menschen in Schweden. Sie stellten ihre Milchkannen nach draußen und ließen das Geld auf der Kanne liegen. Sie verschlossen nie ihre Türen. Sie waren solch ehrliche, freundliche Menschen und wir fühlten uns zum ersten Mal seit Jahren sicher.

Der Mann, der für uns in der Schule zuständig war, hieß Eli Getreu. Er war es auch, der unser Interesse für klassische Musik entfachte. Jede Nacht wenn wir zu Bett gingen—wir schliefen zu acht in einem Raum—ließ er Musik spielen: unser eigenes, wunderschönes Konzert.

Hinten auf einem Bild, dass er mir gab, schrieb er: „Damit du dich an mein Grammofon erinnerst." Eine andere Schülerin, Mariana, war unglaublich in ihn verknallt.

Unsere Hebräisch Lehrerin kam zufällig auch aus Munkács. Sie hatte zusammen mit ihrer Mutter überlebt und unterstützte uns dabei mehrere Theaterstücke aufzuführen. Eines davon war „Schneewittchen und die sieben Zwerge" und eine Maskenparty veranstalteten wir auch.

Ein wenig später schickte uns unser Onkel Herman, der Bruder meiner Mutter, welcher vor dem Krieg in die USA gezogen war, hundert Dollar, damit wir uns leisten konnten, was auch immer wir brauchten. Ein Vermögen! Wir besprachen, was wir uns mit dem Geld kaufen sollten. Klammotten? Manci sagte, dass wir die auch später in Amerika holen könnten. Allerdings hatten wir Stockholm noch nicht gesehen, also entschieden wir uns dort die Oper zu besuchen.

Wir hatten uns in Helsingborg mit einem Mädchen angefreundet, das sich in Stockholm auskannte. Zu dritt machten wir uns auf den Weg. Wir reisten mit dem Zug, übernachteten in einem Hotel und verbrachten ein wundervolles Wochenende. Die schwedische Oper war in Europa sehr bekannt und wegen Eli kannten wir uns mittlerweile auch viel besser über Musik aus.

Frici lebt

Mai-August 1945 — Manci

Ich wäre in Schweden geblieben, hätten Katie und Harry uns nicht gefunden und einen Neuanfang in den USA arrangiert. Für mich war Schweden das Paradies. Mit Sicherheit wäre ich nicht nach Ungarn zurückgekehrt. Ohne meine Eltern und Geschwister wäre es einfach nicht dasselbe gewesen.

Zu der Zeit machte man Juden wie uns viel Druck, nach Israel zu gehen. Der Mann, der für Ruthie und Edith in der Schule zuständig war, Eli, versuchte uns mit allen Mitteln dazu zu überzeugen. „Manci", sagte er. „Sie brauchen Leute wie dich." Aber Israel war ein von Konflikten gezeichnetes Gebiet. Ich hatte genug Konflikt für den Rest meines Lebens hinter mir.

Davon abgesehen waren meine Eltern—vielleicht weil sie orthodoxe Juden waren—gegen den Zionismus. Einer von Fricis vier Brüdern, Meyer, war ein Zionist gewesen. Einmal war ein äußerst berühmter Redner nach Munkács gekommen, um vor einer Gruppe Zionisten zu sprechen, und Meyer hatte Tickets geholt. Er hatte mich gefragt, ob ich auch kommen wolle, und ich hatte ja gesagt. Als der Tag dann gekommen war, hatte ich meinen Eltern gesagt, dass ich dort hingehen würde, und sie waren sehr böse geworden. Das habe ich nie vergessen. Und aus dem Grund wollte ich nicht nach Israel gehen.

Im Europa jener Zeit wurde von einem erwartet, seine Eltern in jeder Hinsicht zu ehren, ob du ihrer Ansicht warst oder nicht. Als ich älter wurde, realisierte ich, dass mir nicht viel an Tradition lag. Damals hätte ich das jedoch niemals nach außen getragen.

Das Rote Kreuz hatte auch Informationen zu Ediths unmittelbarer Familie. Ihr Vater hatte irgendwie überlebt und war zurück nach Munkács gegangen. Sie war sich nicht sicher, was sie tun sollte, aber sie wollte bei ihm sein. Ich weiß noch, dass wir drei—Ipi, Edith und ich—darüber diskutierten. Ich sagte: „Du weißt, dass du jederzeit nach Munkács zurückkehren kannst, aber du kannst nicht jederzeit nach Amerika. Also warum kommst du nicht einfach mit uns? Wenn es dir da nicht gefällt, kannst du es dir immer noch anders überlegen." Am Ende entschied sie sich mit uns zu kommen. Katie und Harry besorgten uns dreien die nötigen Papiere. Ediths Vater ging später von sich aus in die USA.

Wir hatten fast ein ganzes Jahr in Schweden verbracht, als für mich ein Traum wahr wurde. Meine beste Freundin Frici war kurz nach uns deportiert worden. Auch sie hatte man zunächst nach Auschwitz gebracht, kurz danach aber in ein anderes Lager transferiert und von dort dann in das nächste und so weiter. Und sie hatte überlebt!

Sie war befreit worden und in der schwedischen Stadt Göteborg gelandet. Wir schafften es uns zu treffen, doch es blieb ein kurzes Vergnügen. Sie blieb in Schweden, als wir nach Amerika gingen. Frici begann schon bald für die *United Nations Relief and Rehabilitation Administration* (UNRRA) in Deutschland zu arbeiten, wo sie ihren zukünftigen Ehemann Steve, einen Ungaren, kennenlernte. Seinen ungarischen Namen weiß ich nicht. Ich habe ihn immer einfach als Steve gekannt.

Von da an blieben wir in Kontakt. Sie besuchte unsere Schule in Munkács und fand unsere Abschlussfotos aus der Woche, in der wir in die Backsteinfabrik gezwungen und kurz darauf nach Auschwitz geschickt wurden. Das Bild meiner Abschlussklasse hängt heute noch an meiner Schlafzimmerwand. Darauf sind dreizehn Fakultätsmitglieder und neunundzwanzig Mädchen zu sehen, von denen Frici, ich und drei weitere Schülerinnen die einzigen Jüdinnen waren.

Fricis Brüder wurden wohl direkt von einer Organisation unterstützt, wodurch sie in den USA landeten, in Harrisburg Pennsylvania. Frici und Steve zogen später zuerst nach Kanada und dann auch nach Harrisburg, um in der Nähe ihrer Brüder zu sein. Wir beide sind unser gesamtes Leben über eng miteinander verbunden geblieben.

Drottningholm

März 1946 — Ruthie

Ich hatte so viele Freunde in Schweden. Der Lehrkörper und die Schüler in Fjallgarden waren eine große, glückliche Familie. Nach allem, was wir durchgemacht hatten, gab es nichts, was ich mehr brauchte. Zu dem Zeitpunkt wussten die meisten von uns, dass wir unsere Familien verloren hatten, auch wenn es welche gab, die noch immer auf Neuigkeiten vom Verbleib ihrer Eltern warteten. Alles, was wir jetzt noch hatten, waren unser Zusammenhalt und die Hoffnung, dass uns Verwandte in den USA, Israel oder vielleicht sogar anderen Teilen Europas finden würden. Wir weinten und lachten zusammen, spendeten einander Trost und versuchten uns gegenseitig Mut zu machen.

Der Entschluss, Schweden zu verlassen, war alles andere als einfach. Manci war es, die sich um mich kümmerte und die Entscheidungen für uns traf. Sie war im Lager zu einer Art Mutterfigur geworden, weswegen ich noch immer auf sie hörte, und sie überzeugte sogar Edith mit uns nach Amerika zu kommen.

Wir konnten uns Munkács nicht mehr als unsere Heimat vorstellen, da alles, was uns dort am Herzen lag, zerstört worden war. Unser Hab und Gut war von der SS und den Ungaren gestohlen worden. Vaters Geschäft gab es nicht mehr. Seine antiken Bücher und Schriftrollen waren entweder zerstört oder als Verpackung für Knackwurst benutzt worden. Auch unser Zuhause war nicht mehr. Wir verabschiedeten uns von jenem Leben, doch wir hielten es für immer in unserer Erinnerung fest.

Einer der Betreuer in Fjallgarden mochte mich sehr und hoffte, dass ich seinen Sohn heiraten würde. Ich erklärte ihm, dass ich das nicht wollte, entschied mich aber dazu, ihm einen Pullover mit drei Fahrrädern darauf zu häkeln.

Anfang März war es dann so weit. Wir bereiteten uns darauf vor, nach Amerika aufzubrechen. Meine Tante schickte uns die Reisepapiere. Danach mussten wir eine Weile warten. Magda blieb bei ihrem Freund Arne in Schweden. Kis Magda kehrte heim nach Budapest.

Also packten Manci, Edith und ich unsere Siebensachen, wobei es sich hauptsächlich um Klammotten und Essen handelte. Dann eskortierte uns das Rote Kreuz zu einem Dampfschiff in Göteborg.

Die Drottningholm war während des Krieges zur Diplomatie benutzt worden. Sie hatten sie für Passagiere umfunktionieren lassen und unsere Reise war ziemlich luxuriös, obwohl die Arbeiten noch immer vonstattengingen, als wir ausliefen. Die meisten an Bord waren schwedische Bürger und Diplomaten. Flüchtende wie uns gab es nur wenige.

Wir hatten sehr gute Tickets; man gab uns sogar eine eigene Kajüte! Allerdings hatten wir die Reise über mit rauer See zu kämpfen. Gewaltige Stürme brachten das Schiff in wildes Schwanken. Edith und ich waren fast die ganze Zeit über seekrank. Manci sagte uns immer wieder, dass wir einfach nicht darüber nachdenken sollten. Und dann wurde ihr auch übel.

Da es ein schwedisches Schiff war, gab es natürlich immer ein wundervolles Smörgåsbord, doch sobald ich den Essensraum betrat, musste ich wieder raus und mich übergeben. Wir waren dreizehn Tage unterwegs und die gesamten dreizehn Tage über fühlte ich mich schlecht.

Sowie wir den Hafen New Yorks erreichten, erblickten wir die Freiheitsstatue. Endlich waren wir nicht mehr allein. Es war der 8. April 1946.

TEIL VI

PHILADELPHIA

1946-1948

Etwa fünfzig Millionen Menschen wurden wegen des Zweiten Weltkriegs aus ihrer Heimat vertrieben. Hilfsaktionen für Flüchtende fanden vor, während und nach dem Krieg statt. Die UNRRA wurde 1943 von den USA und vierundvierzig anderen Nationen gegründet. Sie sollte dazu dienen, die Unterstützung von Flüchtenden zu planen und durchzuführen. Zusammen mit dutzenden Wohltätigen Organisationen sammelte und nutzte die UNRRA vier Milliarden Dollar zu diesem Zweck. Nach dem Krieg spielte sie außerdem eine signifikante Rolle dabei, vertriebenen Menschen wieder zurück in ihre Heimat zu helfen. Sie wurde später durch den Marshall Plan ersetzt.

Im Angesicht der neuen Welle an Flüchtenden reagierten die Vereinigten Staaten mit fragwürdigen Maßnahmen. In den späten 1930ern erhielt das Land über 100.000 Anfragen zur Einreise aus Deutschland und Österreich, hielt aber an seiner strikten, nationalen Immigrationsquote von 27.000 fest. Tatsächlich verschärfte man die Restriktionen für Migranten sogar, als sich die Flüchtendenkrise verschlimmerte, hauptsächlich aufgrund von Antisemitismus in der amerikanischen Regierung und weil man unter den jüdischen Einwanderern aus Nazi-Deutschland Spione befürchtete.

Generell verfolgten die USA im Zweiten Weltkrieg die Strategie, keine Militärressourcen an Hilfsaktionen zu verschwenden. Allerdings hatte die Regierung zum Ende des Jahres 1942 Zugriff auf nicht mehr zu ignorierende Beweise, dass die Nazis die komplette Vernichtung der Juden Europas im Sinn hatten. Obwohl die Medien nun endlich begannen vom Ausmaß des Genozids zu berichten, kam es zunächst zu keinem öffentlichen Aufschrei. Dies änderte sich erst, als Staatssekretär Henry Morgenthau den Bericht seines Mitarbeiterstabs—den *Personal Report to the Secretary on the Acquiescence of this Government in the Murder of the Jews*—benutzte, um andere Regierungsmitglieder mit der schrecklichen Wahrheit zu konfrontieren.

Im Januar 1944 erließ Präsident Roosevelt einen obersten Befehl zur Gründung des *War Refugee Board* (WRB). Diese Instanz war für eine neue Vorgehensweise der Vereinigten Staaten zuständig, in der die Unterstützung und Rettung jüdischer und anderer durch die Nazis verfolgter Minderheiten vorrangig wurde. Sie organisierte geheime Hilfsaktionen und ließ Hilfsgelder in die Hände verschiedener ziviler Gruppen und Regierungsorganisationen fließen, vor allem in Skandinavien. Außerdem setzte sie eine Propagandakampagne in Gang, in der Tätern des Holocaust damit gedroht wurde, dass man sie nach dem Krieg rechtlich verfolgen würde, und handelte Abkommen mit neutralen Ländern aus, damit sie mehr Flüchtende über ihre Grenze ließen.

———

Katie und Harry

März-Dezember 1946 — Manci

Ich war vom ersten Tag an fest dazu entschlossen, ein neues Leben zu beginnen. Und wir hatten solches Glück dieses neue Leben an der Seite von Tante Katie und Onkel Harry zu führen.

Tante Katie war eine Halbschwester meiner Mutter und sah meiner Großmutter ähnlich, die mit uns in unserem Haus in Munkács gelebt hatte. Meine Großmutter starb im Ghetto, bevor wir nach Auschwitz deportiert wurden. Tante Katie war relativ jung gewesen, als sie nach Amerika gezogen war, doch sie und meine Mutter waren eng verbunden geblieben und hatten einander vor dem Krieg regelmäßig Briefe geschickt. Sie hatte Harry in den USA kennengelernt. Harry kam aus einem ärmlichen Dorf nahe Munkács und war ein unauffälliger Mann, welcher jedoch eine natürliche Intelligenz ausstrahlte.

Sie hatten zwei Söhne und eine Tochter: Willy, Bernie, und Molly. Willy war mit einer Frau namens Goldie verheiratet und Bernies Ehefrau hieß Henrietta. Molly war das jüngste Kind und mit einem Mann namens Martin verheiratet. Harry führte einen General Motors Großhandel. Er stand jeden Morgen früh auf und machte sich auf den Weg in seinen Laden, wo er dann zuhause anrief, um nachzufragen, wie es Katie ging.

Sie lebten in einem großen Haus auf der 4th Street in Philadelphia. Auch Molly und Martin wohnten noch dort, doch sie überließen Ipi, Edith und mir das gesamte oberste Stockwerk. Sie waren einfach großartig und behandelten uns alle—auch Edith—als wären wir ihre eigenen Kinder. Harry war die netteste Sorte Mensch, die man sich vorstellen kann. Er spielte regelmäßig Lotto und wann immer er Geld gewann, steckte er mir fünf Dollar zu und sagte: „Erzähl keinem was davon." Aber ich wusste, dass er dasselbe für die anderen Mädchen tat.

Nach einer Weile begann ich für einen Freund der Familie zu arbeiten, einem Zahnarzt namens Dr. Korman. Er war Goldies Zahnarzt, also war eigentlich sie es, die mir den Job besorgte. Dr. Korman hatte seine Praxis in einem Vorort—Oxford Circle. Ich arbeitete von zwölf bis neun Uhr abends, weil er nur Leute aus seiner Nachbarschaft behandelte. Er brachte mir die Arbeit einer Dentalhygienikerin bei und ich machte mich gut. Das Geld war kaum der Rede wert, aber ich fühlte mich plötzlich reich.

Dann wurde die Buchhalterin meines Onkels, welche Ewigkeiten in seinem Geschäft gearbeitet hatte, schwanger. Also begann ich bei ihm zu arbeiten und erhielt sogar ein höheres Gehalt. Dreißig Dollar die Woche. Für mich ein Vermögen.

Meine Mutter hatte auch einen Bruder, der in den Vereinigten Staaten lebte. Onkel Herman war der jüngste Bruder meiner Mutter und war zu Beginn des Krieges nach Amerika gekommen. Er war ohne seine Familie abgereist, mit der Hoffnung, dass sie nachkommen würde, aber keiner von ihnen hatte den Holocaust überlebt.

Onkel Herman war der Meinung, dass wir „amerikanisiert" werden sollten. Er war es, der von sich aus unsere Namen auf den neuen Papieren änderte. Ipis richtiger Name war Regina Rella, doch keiner hatte sie je Regina genannt. Die meisten nannten sie Rella und ich noch immer Ipi. Onkel Herman gab Ipi den Namen Ruth: Ruth Rella Grunberger. Sie mochte ihn und wurde schon bald zu Ruthie. Bis heute nennt sie jeder so. Edith hieß auf Ungarisch eigentlich Edit, also änderte sich für sie nicht viel.

Und dann war da noch ich. Onkel Herman gab mir den Namen Mildred. Ich konnte mit dem Namen nichts anfangen—hasste ihn, um ehrlich zu sein—also benutzte ich weiter Manci und ging bei meinem offiziellen Namen den Kompromiss ein M. Manci Beran zu schreiben.

Stille, lange Nächte

März-Dezember 1946 — Ruthie

Ich weiß noch, dass uns Onkel Herman und Cousin Willy, bei unserer Ankunft in New York, abholten. Unsere Papiere hatten wir bereits, also verließen wir direkt, mit unserem Gepäck im Schlepptau, das Schiff. Wir hatten nicht viele Klammotten dabei, aber das Rote Kreuz in Schweden hatte uns Damenhygieneartikel mitgegeben, mit denen wir unsere Koffer gefüllt hatten. Uns war nicht bewusst gewesen, dass man sie öffnen und kontrollieren würde; das war ein ausgesprochen peinlicher Moment für Manci und mich.

Tage und Wochen vergingen und wir fühlten uns immer wohler in unserem neuen Zuhause und nahmen sogar etwas Gewicht zu. Wir scherzten, dass wir nun darauf achten mussten, was wir aßen; sonst würden wir plötzlich dick werden.

Nachts hatten wir oft lange Gespräche mit unserer Tante und unserem Onkel, in denen wir davon erzählten, was wir durchgemacht hatten. Sie stellten uns viele Fragen über unsere letzten Momente mit Mutter und Vater. Sie hörten uns zu und zeigten großes Mitgefühl. Wenn uns mal nicht nach reden zu Mute war, warteten sie geduldig, bis wir wieder bereit waren.

Da wir zu den ersten jüdischen Holocaustüberlebenden gehörten, die nach Amerika ausgewandert waren, wurden unsere Namen in den lokalen Zeitungen veröffentlicht und neugierige Nachbarn kamen zu Dutzenden bei uns vorbei. Darunter waren auch viele Angehörige von Menschen, die in Konzentrationslagern gewesen waren, und die auf Informationen über ihre Verwandten hofften. Irgendwann unterbanden meine Tante und mein Onkel diese Besuche. Es war einfach zu viel für uns.

Obwohl wir ein sehr ruhiges Leben führten, hatte ich lange mit den Nächten zu kämpfen. Noch Monate nach unserer Ankunft plagten mich Alpträume, in denen ich die vergangen paar Jahre aufs neue durchleben musste.

Trotz der tiefliegenden Wunden und schrecklichen Erinnerungen war wieder etwas Normalität in unser Leben gekehrt. Ich war glücklich mein erstes Pessachfest in den USA mit Tante Katie und Onkel Harry zu verbringen. Es machte mir Freude meiner Tante beim Putzen und vorbereiten zu helfen. Eine meiner Aufgaben war es, die Sederplatte vorzubereiten, also zum Beispiel Eier zu kochen und Rinderknochen in den Ofen zu schieben. Dabei musste ich an all das denken, was mir meine Mutter beigebracht hatte. Außerdem half ich dabei, den Maror und das Charosset vorzubereiten, genau wie Vater es getan hätte. Obwohl meine Tante einen koscheren Haushalt führte, waren sie auch am Schabbat manchmal unterwegs und aktiv. Sie waren moderner als meine Eltern. Sie waren Amerikaner.

Ich begann zu arbeiten, zunächst für einen Schuhhersteller. Ich konnte es nicht ausstehen. Edith fand einen Job in einer Lampenschirmfabrik. Dann half mir eine neue Freundin, einen Job in dem Elektronikgeschäft zu bekommen, in dem sie auch arbeitete. Ich saß im Büro an einer Adressiermaschine und arbeitete sogar halbtags am Samstag.

Wir hatten erfahren, dass unser Onkel Sigmund—der Bruder meines Vaters und der Vater von Edith—den Krieg überlebt hatte. Nach Jahren der Korrespondenz und einer Flut von Papierkram gelang es uns endlich ihn nach Amerika zu bringen.

Das Wiedersehen zwischen Edith und ihm war äußerst emotional.

Onkel Harry und Tante Katie in Philadelphia (Datum unbekannt).

Edith, Manci und Ruth in Philadelphia (1947).

Manci in Philadelphia (13. Juni 1947).

Manci und Kurt Berans Hochzeitsfoto (September 1948).

Ruth in Philadelphia (August 1947).

Ruth und Ernest Mermelstein (Februar 1948).

Ein junger Mann aus Wien

1947-1948 — Manci

Ich lernte Ruthie Goldstein nicht lange nach meiner Ankunft in Philadelphia kennen. Ihre Eltern kamen aus Deutschland und sie wurde zu einer großen Hilfe für mich. Sie war ein bisschen älter als ich und versuchte uns dabei zu helfen, uns anzupassen, indem sie uns in Jugendklubs und zu USO-Veranstaltungen mitnahm.

Ruthie und ihre Eltern lebten in der Nähe von Tante Katie und Onkel Harry. Bevor sie umzog, sah ich sie sehr häufig. Da ich abends als Dentalhygienikerin arbeitete, kam ich nicht dazu, das neue Haus der Goldsteins zu besuchen. Dann rief mich Ruthie eines Abends an und beschwerte sich, dass ich nie vorbeikam. Meine Schwester und Edith waren mit etwas anderem beschäftigt, also entschied ich mich zu ihr zu gehen.

Es war bereits eine Gruppe Menschen zu Besuch. Einer davon war ein junger Mann namens Kurt. Ruthie hatte ihn bei einer USO-Veranstaltung getroffen und er war vorbeigekommen, um einen Regenschirm zurückzubringen. Ich fragte mich, ob er vielleicht ihr fester Freund sei und dachte die ganze Zeit nur: *Herrgott, der Mann muss zum Friseur.* Als ich mich aufmachte, um wieder zu gehen, kam er mit. Er fragte mich, ob er mich anrufen dürfe und ich verneinte mit irgendeiner dummen Ausrede. Am nächsten Tag fragte ich Ruthie, ob er und sie zusammen waren, doch sie antwortete, dass sie nur Freunde seien. Also erlaubte ich ihm, mich anzurufen, und kurz darauf wurde er mein fester Freund.

Kurt war Österreicher und lebte in Wien, als sein Vater verstarb. Damals war er vier Jahre alt. Seine Mutter starb sechs Monate später. Auch sein Bruder starb jung. Seine Tante Margaret versuchte ihn nach ihrer Heirat mit einem Mann namens Julius Baar zu adoptieren, aber in Österreich war dies Frauen im zeugungsfähigen Alter nicht erlaubt. Aus dem Grund wurde er zwar nie offiziell adoptiert, war aber in jeder anderen Hinsicht ihr Sohn.

Kurt kam aus einer jüdischen Familie. Als Hitler die Macht ergriff, besorgte ein Onkel in Panama den dreien temporäre Visa und sie flohen dorthin. Kurt war elf. Später zogen sie von dort aus in die USA, nach Philadelphia.

Kurt trat der Armee bei, als er erst siebzehn war, also mussten Margaret und Julius für ihn unterschreiben. Er wurde auf die Philippinen geschickt und gehörte zum Geheimdienstapparat des Militärs. Kurz nach dem Krieg, als ich nach Amerika kam, arbeitete er als Zivilperson in Japan. Zu der Zeit, in der wir uns kennenlernten, war er gerade zurückgekommen und arbeitete bei Dupont. Er hatte vor, sich an der Temple University einzuschreiben.

Eines unserer ersten Dates werde ich nie vergessen. Jahre zuvor hatte ich in Munkács „Vom Winde verweht" auf Ungarisch gelesen. Ich freute mich ungemein, als ich erfuhr, dass das Buch verfilmt worden war. Obwohl Kurt den Film schon gesehen hatte, schaute er ihn nochmal mit mir. Das Kino war unglaublich voll. Wir mussten zweieinhalb Stunden anstehen. Später, als ich wieder zuhause ankam, sagte ich: „Könnt ihr das glauben, der Typ stand über zwei Stunden mit mir an." „Oh, dann ist es wohl etwas ernstes!", erwiderte meine Cousine Molly.

Irgendwann begannen wir übers Heiraten zu sprechen. Auch Ruthie hatte jemanden kennengelernt. Sie schlug eine Doppelhochzeit vor. Da ich die ältere Schwester war, hätte ich natürlich zuerst heiraten sollen, doch mir war das egal. Kurt hatte gerade sein Studium begonnen und wir hatten uns entschlossen zu warten. Ruthies Hochzeit fand im Februar statt. Wir heirateten im darauffolgenden September im Haus meiner Tante und meines Onkels. Ich trug ein aquamarines Kleid mit kastanienbraunen Accessoires. Schon vor der Hochzeit kam ich dauernd die Treppen runter, um Leute zu begrüßen. Onkel Herman war außer sich, weil ich mich nicht versteckte, wie es üblich gewesen wäre. Aber für mich war das Verstecken für immer vorbei.

Ein Bäcker aus Gorond

1947-1948 — Ruthie

Ich lernte Ernest Mermelstein etwas über ein Jahr nach meiner Ankunft in Amerika kennen. Er kam aus Gorond in der Tschechoslowakei, was sehr nah an Strabychovo gelegen war, wo meine Großeltern ihre Farm gehabt hatten und Ancsi und Manci geboren worden waren. Er war das älteste von sechs Kindern von Ethel und Abraham Mermelstein. Vier der Mermelstein Kinder— Ernest, Eugene, Sol und Clara—überlebten die Schrecken des Holocaust zusammen mit ihrer Mutter.

Es lag nicht an mangelndem Versuchen, dass die Familie Mermelstein Europa nicht rechtzeitig entflohen war. Sie sahen die gefährlichen Vorzeichen der späten 1930er und planten ihre Auswanderung in die USA. Im Jahr 1940 waren sie endlich im Besitz der vollständigen Papiere und sie entschieden, dass Abraham vorausging, um Arbeit zu finden und alles nötige vorzubereiten. Dann sollte der Rest nachkommen. Doch schon bald erreichte ihn die fürchterliche Nachricht, dass es keinen weiteren Schiffen aus Europa mehr erlaubt war, nach Amerika zu fahren; seine Familie saß in der Tschechoslowakei fest. Die meisten von ihnen landeten in Auschwitz. Ernest hatte einen Job als Bäcker in Budapest gehabt. Als der Krieg ihn erreichte, wurde er zum Zwangsarbeiter für die deutsch-ungarische Allianz. Später war er Insasse in Mauthausen und Gunskirchen. Am Tag seiner Befreiung war er wegen hohen Fiebers dem Tod nahe, doch er schaffte es, sich zu erholen. Nachdem Krieg folgten die fünf Überlebenden der Familie Abraham endlich nach Amerika.

Ernest und ich lernten einander kennen, als er Verwandte in Camden, New Jersey besuchte und dabei auch bei meinem Onkel vorbeischaute. Es stellte sich schnell heraus, dass wir eine ganze Menge gemeinsam hatten. Seine Mutter und seine Schwester kannte ich bereits, da meine Großmutter mütterlicherseits in der Nähe seiner Familie gelebt hatte. Wir hatten meine Großeltern immer in den Sommerferien besucht und ich hatte viele gute Erinnerungen an die Mermelsteins. Außerdem hatte Ernest während des Krieges genau wie ich unfassbares Leid durchgemacht und wir beide konnten einander verstehen und Trost spenden.

Jeden Samstag gingen wir aus. Irgendwann, als wir durch den Zoo schlenderten, sagte er einfach so, dass wir vielleicht heiraten sollten. Ich sagte ja und damit war es entschieden. Wir feierten unsere Hochzeit am 1. Februar 1948, zehn Monate nach unserem ersten Treffen. Die Feier fand in einer Synagoge statt. Nichts großes, nur die unmittelbare Familie. Ich trug das weiße Hochzeitskleid meiner Schwägerin. Manci war meine Trauzeugin und Kurt war Trauzeuge. Unsere Flitterwochen verbrachten wir in Atlantic City.

Zu der Zeit hatte ich noch immer meinen Job. Als ich die Firma verließ, erhielt ich einen ganzen Tisch voller Elektrogeräte als

Hochzeitsgeschenk. Darunter waren ein Bügeleisen und ein Schnellkochtopf, die ich bis heute behalten habe.

Manci heiratete Kurt im September und unsere Cousine Edith heiratete ein paar Jahre danach einen Mann namens Izzy, welcher in Philadelphia geboren und aufgewachsen war. Er ging auf die Drexel University und wollte Elektrotechniker werden. Ihre Hochzeit war ein fürstliches Fest in einer großen Synagoge.

Endlich hatten wir drei eine neue Heimat gefunden und neue Familien geschaffen.

TEIL VII

ERFÜLLTE LEBEN

1949-

Abgesehen von den unzähligen und wichtigen individuellen Erzählungen von Überlebenden des Holocaust, die in den vergangenen fünfundsiebzig Jahren verfasst wurden, gibt es auch Studien zu den mündlichen Überlieferungen und Memoiren sowie Nachforschungen, die jüdische Überlebende mit anderen Juden vergleichen, welche die Schrecken der Konzentrationslager nicht miterlebt hatten. Auch wenn es falsch wäre allzu generalisierende Schlussfolgerungen zu ziehen, gibt es einige zu observierende Unterschiede zwischen Überlebenden, denen es gelang nach dem Krieg ihre Leben wieder aufzubauen, und jenen, die vom Trauma des Holocaust verschlungen wurden.

Eine Studie von Françoise Ouzan (2018) enthüllt drei Narrative, die der erfolgreichen Regeneration der Identität von Holocaust-Überlebenden zu Grunde liegen. Zunächst gibt es den sozialen Narrativ, welcher berufliche und gesellschaftliche Erfolge der Überlebenden unterstreicht. Darauf folgt ein ideologischer Narrativ, der die spirituelle Heimat Israel als Zuflucht vom Antisemitismus beschreibt. Und zuletzt gibt es den religiösen Narrativ, welcher sich mit dem Fortführen des jüdischen Glaubens auseinandersetzt. Das Konzept der „Zugehörigkeit" ist ein weiterer signifikanter Aspekt im Heilungsprozess der Überlebenden— Zugehörigkeit zu Organisationen, zu einem neuen Heimatland oder zur Kultur des Judentums an sich. Ein anderer Faktor, der viele der erfolgreichen Überlebenden verbindet, ist „Hyperaktivität". Dieselbe Entschlossenheit, die es jenen Menschen erlaubt hatte zu überleben, half später dabei, sich einer ständigen Produktivität zu ergeben, welche darauf abzielte, sich selbst und anderen zu beweisen, dass man ein nützliches Mitglied der Gesellschaft war.

Eine ausführliche, wegweisende Studie von William Helmreich (1992) suggeriert, dass viele Überlebende des Holocaust erfolgreichere Leben führten als andere amerikanische Juden in vergleichbarem Alter. Sie hatten stabilere Ehen, häufig mit anderen Überlebenden, und suchten seltener psychiatrische Hilfe auf. Bei Überlebenden kann eine regelrechte Abwesenheit von kriminellem Verhalten festgestellt werden. Sie tendierten dazu, sich besonders viele Sorgen um ihre Kinder zu machen und überfürsorgliche Eltern zu sein. Einige fanden Trost darin, ihre Erfahrungen mit anderen zu teilen, während andere durch positive Adaption in der Lage waren, Teile ihrer Emotionen und Erinnerungen auszublenden.

Die Ergebnisse aus diesen Nachforschungen arbeiten zehn generelle Eigenschaften in Überlebenden heraus, die nach dem Krieg solche erfolgreichen Leben führten: Flexibilität, Durchsetzungsvermögen, Beharrlichkeit, Optimismus, Intelligenz, Distanzierungsfähigkeit, Gemeinschaftsgefühl, Verarbeitung des eigenen Überlebens, Sinn im eigenen Leben finden, Mut.

Ein Abschluss und eine Kommission

1948-1952 — Manci

Ich arbeitete weiter im Geschäft meines Onkels. Wir hatten nicht viel Geld, also mieteten Kurt und ich eine heruntergekommene Wohnung auf der Randolph Street. Frici lebte zu der Zeit noch in Montreal, doch wann immer sie ihre Brüder in Harrisburg besuchte, übernachtete sie bei uns. Die Wohnung bestand im Endeffekt nur aus einem Raum, daher schlief sie in einer großen Abstellkammer.

An den Wochenenden fuhren wir häufig mit dem Auto nach New York, um Ruthie und Ernest zu besuchen. Damals war es noch nicht üblich ein Auto zu besitzen, aber Onkel Harry hatte Verbindungen zur Autoindustrie. Es war ein Studebaker und wir fuhren damit sogar mehrere Male nach Montreal, um Frici zu besuchen.

Außerdem verbrachten wir viel Zeit bei Katie und Harry zuhause. Sie liebten Kurt. Er war Jude, lebte seinen Glauben aber nicht allzu strikt aus. Doch genau wie ich zeigte er immer großen Respekt. Ich hätte nie irgendetwas getan, dass sie verletzt hätte. Die Tatsache, dass sie um einiges weniger streng waren als meine Eltern, machte das ganze deutlich einfacher. Sie arbeiteten sogar Samstags und Katie und Molly bedeckten ihre Köpfe nicht mit Perücken, obwohl verheiratete, orthodoxe Frauen ihr Haar normalerweise nicht in der Öffentlichkeit zeigen.

Kurt hatte mit Hilfe des G.I. Bills sein Studium an der Temple University begonnen. Er fand heraus, dass er etwas dazu verdienen konnte, wenn er dem Ausbildungskorps für Reserveoffiziere (englische Abkürzung: ROTC) an der Universität beitrat. Dort schien es ihm auch gut zu gefallen. Um ein offizielles Zertifikat vom ROTC zu erhalten, musste er vor seinem Abschluss ein Sommercamp besuchen. Am Ende des Camps bekam er seinen Abschluss als „Ausgezeichneter Militärstudent". Dies gab ihm einen Vorteil für die Bewerbung bei der regulären Armee.

Ich war zunächst absolut dagegen, dass er sich dem Militär anschloss. In Europa waren es entweder die besonders reichen oder armen, die zur Armee gingen, also hatte ich Schwierigkeiten sein Vorhaben nachzuvollziehen. Dazu kamen die entsetzlichen Assoziationen, welche Ruthie und ich zum Militär hatten. Auch sie machte sich sorgen, doch sie war immer gut darin andere so leben zu lassen, wie sie es wollten. Sie machte mir klar, dass es allein unsere Entscheidung war. Und dann waren da noch meine Tante und mein Onkel, die beide ausgesprochen patriotisch waren. Keines ihrer Kinder war je in der Armee gewesen, also rieten sie mir, sein Vorhaben zu unterstützen.

Kurt arbeitete in verschiedenen Bereichen des Militärs als Teilnehmer einer Art Wettbewerb, nachdem sich die besten Anwärter eine Stelle aussuchen durften. Er wollte sich selbst herausfordern, sich beweisen, dass er das Zeug zum Erfolg hatte. Kurt verbrachte ein Jahr an verschiedenen Orten des Landes. Am Ende hatte er sich als einer der besten Anwärter erwiesen und ihm wurde eine Kommission als 2. Lieutenant angeboten. Er entschied sich für Transport und Logistik. Ich verbrachte jene Zeit weiter in Philadelphia, in unserer kleinen Wohnung auf der Randolph Street.

Ich machte damals so viele neue Erfahrungen. Ich erinnere mich noch daran, wie ich das erste Mal Afroamerikaner sah. Zuvor hatte ich sie nur aus Filmen gekannt. Es schmerzte mich, wenn sie jemand—hauptsächlich andere Flüchtende und Juden—als „schwarz" bezeichnete. Es klang so abwertend, wenn sie es sagten. Daraufhin konnte ich nur erwidern: „Wie könnt ihr euch so verhalten, nachdem man euch als dreckige Juden beschimpft hat?" Auschwitz hatte mich äußerst tolerant gemacht.

Kurts Kompaniekommandant in seinem ROTC-Programm war Afroamerikaner. Er war einer der nettesten Menschen, die man sich vorstellen kann. Im Offiziersklub der Armee herrschte noch immer Rassentrennung. Eines Nachts rief mich Kurt an, weil er wollte, dass wir uns im Latin Quarter in New York trafen. Er erklärte mir, dass sie dem Kommandanten eine Abschiedsfeier schmeißen wollten und dies nicht im Offiziersklub tun konnten. Ich war außer mir vor Wut.

Es muss auch zu dieser Zeit gewesen sein, dass Ruthie und ich unseren einzigen richtigen Konflikt hatten. Ich hatte es satt, zu sagen und zu tun, was andere von mir erwarteten. Wann immer eine Frage oder ein Problem aufkam, sagte Ruthie: „Was würden unsere Eltern dazu sagen?" Darauf antwortete ich dann: „Ich wünschte, sie könnten überhaupt etwas sagen, aber das können sie nicht." Sie waren nicht mehr da. Und da ich ihr Leben nicht für sie leben konnte, wollte ich mein eigenes leben.

Flatbush

1948-1952 — Ruthie

Ernest und ich zogen nach Williamsburg in New York, in eine große Wohnung mit drei Schlafzimmern auf der Vernon Avenue. Am Anfang hatten wir zwei Mitbewohner: Jackie und Herschel, Cousins meines Schwiegervaters.

Wir wollten unbedingt Kinder haben und schon bald brachte ich Evelyn zur Welt. Sobald sie sitzen konnte, setzte ich sie auf die Toilette. Nicht einmal ein Jahr später benutzte sie nur noch die Toilette.

Ernest hatte einen Job in einer Bäckerei in Brooklyn, wo er nachts arbeitete und tagsüber zuhause war. Bei uns in der Nähe gab es einen großen Park—Tompkins Park. In dem umliegenden Gebiet lebten viele europäische Flüchtende, welche ihre Kinder mit in den Park nahmen. Das waren harte Zeiten. Keiner hatte Geld. Ich nahm mir Evy und traf Freunde im Park. Ernest kam häufig nach der Arbeit vorbei und brachte jedem Pumpernickel mit. Sie alle wussten das sehr zu schätzen und wiederholten immer wieder, was für ein guter Mann er doch war.

Nach ein paar Jahren mussten wir dort ausziehen, weil man auf dem Grundstück eine Kirche bauen wollte. Ich hatte zuvor immer in einem Haus gelebt, also sagte ich Ernest, dass wir nach einem suchen sollten und wir fanden eines auf der East 18th Street in Flatbush. Wir hatten 1.500 Dollar auf unserem Konto und sollten 5.000 anzahlen. Jackie, welcher einen sehr guten Job hatte und alleinstehend war, borgte uns etwas Geld. Auch meine Schwiegereltern sowie Kurt und Manci legten etwas dazu. Es war ein Zweifamilienhaus. Wir lebten unten und Ernests Bruder und seine Frau wohnten über uns.

Irgendwann eröffneten meine beiden Schwager, welche sich aus ihrem Leben in Munkács noch mit Polstermöbeln auskannten, zusammen mit Ernest ein Möbelgeschäft. Für eine Weile arbeiteten sie alle in dem Laden und verkauften Wohnzimmermöbel: Sofas und Stühle.

Dann war da noch der Ehemann meiner Schwägerin, welcher in Munkács Uhrmacherei gelernt hatte. Er eröffnete ein Geschäft und bat meinen jüngeren Schwager sein Partner zu werden. Kurz darauf arbeitete auch Ernest für ihn. Zunächst nutzte er seinen Kofferraum als Büro. Er reiste überall umher, sogar bis ganz nach Albany. Doch irgendwann machte er seinen eigenen Stand auf der 47th Street in Manhattan auf, wo er Uhren verkaufte und ich als Buchhalterin arbeitete.

Zu der Zeit, im Jahr 1951, war ich mit unseren Sohn David schwanger. Manci lebte damals in Virginia und kam zu Besuch, um zu helfen. Sie und Kurt hatten noch keine Kinder, also nahmen sie Evy mit sich nach Virginia. David kam etwa eine Woche zu spät, weswegen sie Evy für zwei Wochen bei sich behielten.

Die Frau eines Offiziers

1953-1957 — Manci

Ich war die Ehefrau eines Soldaten. Doch wir hatten von Anfang an den Kompromiss geschlossen, dass er nicht länger als das Minimum der Zeit dienen würden, also achtzehn oder zwanzig Jahre, statt einer vollständigen Militärkarriere von dreißig Jahren. Das Hauptquartier seines Korps lag in Newport News, Virginia.

Seine erste Stationierung war von kurzer Dauer. Wir verbrachten etwa ein Jahr in El Paso, Texas. Der Grund, warum ich El Paso jedoch für immer in guter Erinnerung behalten werde, ist, dass ich dort meine kleine Rhonda Margaret zur Welt brachte. Wir hatten uns vorher nicht zwischen Veronica und Rhonda entscheiden können, weil Kurt bereits wusste, dass er sie „Rhonnie" rufen wollte. Ihr zweiter Vorname kommt von Kurts Tante Margaret, welche ihn aufgezogen hatte, nachdem seine Eltern gestorben waren.

Im Jahr darauf, 1954, wurde er nach Deutschland versetzt. Meine Familie machte sich Sorgen, dass mein Aufenthalt dort all die schlimmen Erinnerungen zurückbringen würde, vor allem Onkel Harry und Tante Katie. Auch Ruthie wusste nicht, ob sie die Idee gutheißen konnte. Doch aus meiner Sicht war dies Teil eines neuen Lebens. Ich würde dort als die Frau eines amerikanischen Offiziers hingehen und mehr nicht. Da war Kurt bereits 1. Lieutenant und als wir dort waren, wurde er zum Captain ernannt.

Rhonnie war zu der Zeit noch sehr klein. Wir trafen Kurt am Flughafen, bevor wir nach Deutschland flogen, und sie hörte nicht auf zu schreien, weil sie ihn noch nie zuvor in Uniform gesehen hatte. Sobald er versuchte, sie zu umarmen, schrie sie nur noch lauter.

Auf der Militärbasis in Vaihingen gab es keinen Wohnplatz für uns, also mietete uns Kurt ein kleines, altes Apartment. Es befand sich direkt über einer Bar, aber nah an seinem Arbeitsplatz. Ich ließ die Nachbarn nicht wissen, dass ich Deutsch verstand. Sie sprachen in meiner Anwesenheit offen über die „dummen Amerikaner". Ich redete mit Kurt darüber, aber ich sagte ihm auch, dass er das bloß nicht Onkel Harry erzählen durfte, da er mir sonst sofort ein Ticket nach Hause schicken würde.

Aufgrund eines Streiks wurde unser Auto nicht nach Deutschland gebracht. Ich fühlte mich in der Wohnung wie eingesperrt und begann ganz kirre zu werden. Einem von Kurts Freunden taten wir so leid, dass er uns am Wochenende herumkutschierte. Einmal fuhr er uns in eine naheliegende Stadt, wo ich einen großen, dicken Deutschen mit einem Bier in der Hand vor einem Apartment stehen sah und einfach anfing zu weinen. Wie konnte es sein, dass er ein so schönes Heim haben durfte, während ich in einem Loch wohnte? Das war das einzige Mal, dass ich die Fassung verlor. Kurt und ich entschieden, dass wir besser umziehen sollten.

Nicht weit von dem Hauptquartier entfernt, in dem Kurt arbeitete, errichtete das amerikanische Militär eine neue Basis für ein Helikopterschwadron, wo sie Wohnraum über hatten. Uns wurde eine fantastische Wohnung zugewiesen, mit drei Schlafzimmern und einem Raum für ein Dienstmädchen im dritten Stock. Dort zogen wir nach sechs Monaten ein.

Einer von Kurts Sergeants lud uns zu seiner Hochzeitsfeier ein. Als wir nachhause kamen, schien unser Dienstmädchen Elvira merkwürdig aufgeregt. Sie sagte: „Ich habe eine Überraschung für euch. Ihr habt Besuch." Sie öffnete dir Tür und dahinter standen Magda und Arne! Wie wundervoll. Wir hatten gedacht, wir würden einander nie wiedersehen. Und nun standen sie da. Magda und ich hatten per Telefon miteinander gesprochen und sie wusste, wo in Deutschland wir wohnten. Als ich damals Schweden verlassen hatte, war sie äußerst emotional gewesen und hatte immer wieder gesagt: „Ich werde dich nie wiedersehen."

Sie kamen uns vier Mal besuchen, jedes Mal unangekündigt. Einmal kamen sie vorbei, als wir gerade zum Haus des Generals aufbrechen wollten. Ich rief beim General an und erklärte, dass wir unerwartete Gäste hatten. Darauf erwiderte er, dass wir sie mitbringen sollten. Danach gingen wir alle bowlen—einfach so in unseren schicken Klamotten. Arne und Kurt verstanden sich von Anfang an prächtig.

Shabbos Goy

1953-1960 — Ruthie

Ich glaube unser Nachbarhaus in Flatbush gehörte einem griechischen Paar. Sie hatten keine Kinder. Nachdem die beiden starben, wurde das Haus zur Auktion freigegeben und wir kauften es. Es war ein Einfamilienhaus, doch wir rissen es ab und ließen stattdessen ein Dreifamilienhaus erbauen, in das wir unten einzogen.

In Schweden hatten Edith, Manci und ich nicht koscher gegessen. Wir aßen alles. In Philadelphia folgten wir dem Vorbild von Onkel Harry und Tante Katie. Harry trug zum Beispiel keinen Hut und arbeitete auch samstags. Tante Katie führte einen koscheren Haushalt, war aber auch nicht allzu strikt. Wir passten uns ihrer Art zu leben an.

Auch Ernest war nicht besonders religiös. Nach unserer Hochzeit gingen wir auch samstags aus. Wir unterhielten uns am Telefon, was die meisten orthodoxen Juden nicht tun. Seine Familie war jedoch streng orthodox. Meine Schwiegereltern verhielten sich genauso, wie sie es in Europa getan hatten. Mein Schwiegervater Abraham Mermelstein war vor dem Rest der Familie nach Amerika gekommen und meine Schwiegermutter Ethel hatte ihre Zeit im Konzentrationslager überlebt und war mit ihren vier überlebenden Kindern nachgekommen.

An irgendeinem Samstag verbrachte Manci Schabbat mit uns in Flatbush. Wir waren irgendwohin unterwegs. Auf dem Weg winkte sie jemanden zu, den wir kannten. Ich weiß noch, dass ich fragte: „Warum machst du sowas?" Ich war so erschrocken, weil wir uns in einem Auto befanden, obwohl die Tora vorschreibt, dass man zu Ehren Gottes und seiner Erschaffung der Welt in sechs Tagen am Schabbat ruhen sollte. Ich schämte mich.

Meine Schwägerin wohnte direkt über uns, weigerte sich aber in meinem Haus zu essen, weil ich nicht streng orthodox lebte. Unser Lebensstil war ihr nicht gut genug. Auch meine Schwiegermutter kam nie bei uns zum Essen vorbei.

Als ich meine Tochter bekam, schickte ich sie in die hebräische Schule, da die Grundschule in unserer Nachbarschaft nicht besonders gut war und sie so eine bessere Bildung erhielt. Einmal hatten wir eine Schulfreundin von Evy am Schabbat bei uns zuhause, als auf einmal das Telefon klingelte. Ich nahm den Hörer ab und sprach hinein, was man am Schabbat nicht machen soll. Das kleine Mädchen nannte mich „Shabbos Goy", womit sie ausdrückte, dass ich mich wie jemand verhielt, der kein Jude war. Ich befürchtete, meine Tochter beschämt zu haben. Daraufhin schloss ich ein Abkommen mit mir selbst: *Wenn ich meine Tochter auf eine hebräische Schule schicken möchte, dann muss ich auch nach denselben Regeln leben.* Es machte keinen Sinn, sich auf zwei völlig verschiedene Arten und Weisen zu verhalten. Woher sollte Evy dann wissen, was richtig und was falsch war.

So veränderte meine Tochter mein ganzes Leben. Ernest störte es nicht. Hätte ich ihn und seine Familie nicht kennengelernt, wäre ich wahrscheinlich so geblieben, wie ich war—nicht wie Manci, aber religiös ohne streng zu sein, so wie ich in Munkács aufgewachsen war und wie sich Onkel Harry und Tante Katie verhielten.

Nach den Erfahrungen in den Konzentrationslagern verloren viele für immer ihren Glauben. Vielleicht war das auch bei Manci so oder vielleicht war sie schon immer so gewesen, auch vor den Grauen, die wir durchgemacht hatten. Ich weiß es nicht, doch es war ihr Leben, mit Kurt an ihrer Seite in diesem neuen Land, und sie sollte es so leben, wie sie es für richtig hielt.

Erinnerungen schaffen, Erinnerungen löschen

1953-1957 — Manci

Ich fand große Freude am Reisen. Wir freundeten uns mit anderen Bewohnern des Wohnhauses auf der Militärbasis an. Darunter waren auch ein Colonel und seine Frau, die Taylors, und zusammen reisten wir nach Wien und Paris. Außerdem besuchten wir die Schweiz, Belgien und die französische Riviera.

Nach Schweden zog es uns auch, was für mich besonders emotional war. Magda und ich unterhielten uns kaum über die Zeit im Lager. Sie wollte einfach ihr Leben leben, genau wie ich. Das wir uns nicht wirklich um Religion scherten, hatten wir ebenso gemeinsam. Sie war in Auschwitz gelandet, weil sie Teil des Widerstands war. Erst später fanden sie heraus, dass sie Jüdin war.

Magda und Arne waren sehr in meine Entscheidung involviert, mein Tattoo entfernen zu lassen. Magda war ihres bereits losgeworden. Sie waren der Meinung, dass man das Tattoo nicht mit in sein neues Leben bringen sollte. Wir hatten überlebt und es gab keinen Grund, sich selbst zur Märtyrerin zu machen. Dadurch würde man Menschen nur leidtun.

Einige von Kurts Arbeitskollegen in der Armee wussten von meiner Vergangenheit. Ich versteckte sie nicht. Kurt hatte auf unseren Papieren „keine Religion" vermerkt. Er wollte es so gut wie möglich vermeiden, dass man mich über den Krieg und Auschwitz ausfragte.

Wir besprachen das Ganze mit Onkel Harry, Tante Katie und Ruthie. Ich selbst hatte kein Interesse an physischen Erinnerungen.

Mir war bewusst, dass mein Geist für immer von Erinnerungen verfolgt werden würde. Das war schmerzhaft genug. Ich bat Arne, welcher Arzt war, mein Tattoo zu entfernen. Die Prozedur hinterließ eine grässliche Narbe, doch mit der Zeit begann sie zu verblassen. Ich habe meine Entscheidung nie bereut. Ich schrieb meiner Tante und meinem Onkel, dass ich es getan hatte. Sie hofften für mich, dass ich die schrecklichen Erinnerungen so gut wie möglich loswerden würde, und unterstützten alles, was dabei helfen könnte. Ruthie war ihrer Vergangenheit gegenüber offener als ich und war gewillt ihre eigene Geschichte zu erzählen. Doch auch sie warf mir nicht vor, dass ich mich nicht mehr mit meiner auseinandersetzen wollte. Sie ist eine ausgesprochen mitfühlende Person.

Im Winter 1956 bekam ich meine zweite Tochter: Sandra Kay. Kurt mochte den Namen „Sandy". Zu der Zeit waren wir seit drei Jahren in Deutschland gewesen und kurz davor, in die Staaten zurückzukehren. Magda und Arne hatten drei Töchter und ihr letzter Besuch war einmal mehr unangekündigt. Sie wollten nach Spanien, doch wir hatten bereits eine Reise nach Venedig geplant. Nachdem wir uns verabschiedeten, brachen wir direkt nach Italien auf. Wir kamen spät in der Nacht an und nahmen uns ein luxuriöses Hotelzimmer. Es war ein wundervoller Urlaub, unser letzter, bevor wir Europa verließen.

Es war nun mehr als zehn Jahre her, dass wir aus unserem Heim in Munkács verschleppt und nach Auschwitz gebracht worden waren, wo ein Großteil meiner Familie gestorben war. Danach war ich lange Zeit daran bemüht, es jedem recht zu machen. Ich glaube Ruthie hatte das Gefühl, dass die Armee mich veränderte. Vor den Soldaten brauchte ich mich nicht zu verstellen. Es war äußerst befreiend.

Camp Winsoki

1962-1966 — Ruthie

Für drei oder vier Jahre ging ich ins Camp Winsoki. Es war ein Sommercamp für Jungs und Mädchen, welches nördlich von New York, nahe Albany, an einem wunderschönen See gelegen war. Die meisten Kinder dort kamen aus sehr wohlhabenden Familien. Da ihre Eltern den Sommer über verreisten, schickten sie ihre Kinder ins Camp. Wir schickten Evy und David dorthin und danach fragte mich die Besitzerin, ob ich nicht Campmutter für die Mädchen sein wollte. Ich verbrachte den ganzen Sommer dort.

Ich wusch den Mädchen die Haare und passte auf sie auf, wenn sie schwimmen gingen. Ich bedeckte sie mit Handtüchern, damit sie sich nicht erkälteten. Nachts kam ich in die Schlafräume und wünschte ihnen eine gute Nacht. Ich war wie eine Mutter für sie. Wenn einige der jüngeren Kinder Heimweh hatten, spendete ich ihnen Trost und zeigte Verständnis dafür, dass sie ihre Familien vermissten.

Am Wochenende kam Ernest hochgefahren und brachte mit Lachs belegte Bagel aus New York mit. Er half im Camp aus, bis er wieder nach Hause fuhr, um Montag zur Arbeit zu gehen. Herumsitzen und Nichtstun war nicht seine Art. Keiner bat ihn um Hilfe, er tat es einfach. Sogar beim Wäsche waschen unterstützte er mich.

Wir freundeten uns mit der Besitzerin an. Nach meinem ersten Jahr als Campmutter schenkte sie mir einen hübschen Kleiderständer, um mich zum Wiederkommen zu überreden. Sie bezahlte mir nicht viel, doch ich war trotzdem froh darüber, da ich ansonsten den ganzen Sommer über zuhause verbracht hätte. So konnte ich die Zeit mit meinen Kindern zusammen genießen.

Die anderen Eltern hatten eine Menge Lob für mich übrig, da sie nie zuvor so eine gute Campmutter gehabt hatten. Mir war das eher peinlich. Und dann gaben sie mir auch noch Trinkgeld. Ich schämte mich. Doch sie waren ausgesprochen nett zu mir und gaben mir das Gefühl, dass ich ihren Familien auch einen großen Gefallen tat.

Im Jahr 1966 brachte ich mein drittes Kind zur Welt, einen Sohn, den wir Howard nannten.

Ein paar Jahre nach David hatte ich eine Fehlgeburt im fünften Monat. Evy hatte schwer damit zu kämpfen. Sie schloss sich in ihrem Zimmer ein; sie hatte sich wirklich sehr auf das Baby gefreut. Weil ich meiner Schwester—ihrer geliebten Tante Manci—so nahe stand, wollte Evy unbedingt eine Schwester haben. Ich erklärte ihr, dass es keinen Grund zur Sorge gab und, dass es schon bald ein neues Baby geben würde.

Und da war es nun, auch wenn es wieder ein Junge war. Howard (wir nannten ihn Zvi) war vierzehn Jahre jünger als David.

Nach Zvis Geburt hielt ich meine erste Rede. Das muss vor Evys oder Davids Klasse gewesen sein. Ein Lehrer bat mich, über den Holocaust zu sprechen. Ich war mich nicht sicher, ob ich dazu bereit war, doch ich war der Meinung, dass es getan werden musste.

Die Schüler fragten mich nach meinem Tattoo. Als meine Kinder noch klein gewesen waren, hatten auch sie Fragen darüber gehabt. Damals hatte ich ihnen erzählt, dass ich immerzu meine Telefonnummer vergaß und sie deswegen auf meinem Arm stehen hatte. Doch vor ihrer Klasse nahm ich sofort meinen Mut zusammen und sagte: „Ich schäme mich nicht für das Tattoo. Jene, die es mir aufgezwungen haben, sollten sich schämen."

Sie waren überrascht, dass ich nicht weinte, während ich darüber sprach. Ich erklärte ihnen, dass ich gelernt hatte, in meinem Inneren zu weinen.

Zurück in die Schule

1957-1964 — Manci

Als wir aus Europa in die USA zurückkehrten, gingen wir zunächst wieder nach Newport News in Virginia, weil sich die Basis von Kurts Einheit dort befand. Doch wo sollten wir wohnen? Wir hatten uns mit einem anderen Paar sehr gut angefreundet—der Mann folgte einer sehr ähnlichen Karriere wie Kurt—welches kurz vor uns wieder zurück nach Amerika gekommen war. Sie kauften ein Haus in einer neuen Wohnsiedlung und wir schlossen uns ihnen an. Sie kauften unser Haus für uns mit; tatsächlich hatten wir es selbst nie gesehen, bevor wir einzogen. Wir hatten einen großen Garten und einen Carport.

In den drei Jahren, die wir dort verbrachten, trafen wir uns häufig mit Ruthie, Ernest und ihren Kindern. Rhonnie war etwa in Davids Alter und Sandy noch ein Kleinkind. Frici und ihr Mann Steve waren nach Harrisburg gezogen und hatten zwei Kinder in ähnlichem Alter, also besuchten wir einander ständig.

Dann wurde Kurt für ein Jahr nach Fort Leavenworth in Kansas versetzt, wo er auf das *Commander General's Staff College* ging. Direkt danach zogen wir zurück nach Philadelphia, weil Kurt beim MBA-Programm an der Wharton School der University of Pennsylvania angenommen wurde. Da sein Studium vom Militär bezahlt wurde, machten sie ihm eine Menge Druck und er machte seinen Abschluss nach nur anderthalb Jahren. Wir wohnten in einem großes Haus in Alden, einem Vorort von Philadelphia.

Als nächstes musste Kurt für eine sogenannte „Hardship Tour" ohne uns nach Korea. Da er viele der Professoren an der Temple University kannte und befürchtete, ich würde alleine verrückt werden, arrangierte er für mich, dass ich jeden Kurs nehmen durfte, den ich wollte. Rhonnie war zehn und Sandy sieben oder acht, also ging ich zur Uni, wenn die Kinder in der Schule waren. Wir drei zogen in eine Wohnung, wo uns Kurt einige Male besuchte und die Kinder überraschte.

Ich nahm die Bahn zur Uni. Weil ich in Europa bereits eine höhere Bildung in Sachen Betriebswirtschaft genossen hatte, wählte ich auch diesmal Kurse im selben Fachbereich. Der jüngste Sohn von Onkel Harry und Tante Katie—Bernie—hatte zwei Söhne—Stevie und Barry—welche einige der Kurse mit mir besuchten. Ich sammelte eine ganze Menge Leistungspunkte und hatte nur Einsen.

Ich habe die Uni geliebt. Ich hätte vierundzwanzig Stunden am Tag dort verbringen können. Und ich tat es nicht für einen Abschluss. Viel mehr wollte ich an meinem Wissen als Buchhalterin feilen, falls ich jemals die Chance bekommen sollte, in dem Bereich zu arbeiten. Ich erinnere mich noch an einen Professor, mit dem ich über eine meiner Klausuren diskutierte. Er wollte mir eine Zwei geben. Ich fragte ihn immer wieder wieso. Irgendwann gab er endlich nach: „Einigen wir uns auf eine Eins Minus." Ich fühlte mich so eigenständig. Meine Professoren waren alle sehr gut und unterstützten mich ungemein. Ihnen war bewusst, dass es mir nicht um einen Abschluss ging. Ich hatte einfach so viel Spaß am Lernen.

Während Kurt in Korea war, kamen Ruthie und Ernest häufig vorbei, um zusammen Onkel Harry und Tante Katie zu besuchen. Zu der Zeit standen wir einander unglaublich nahe. Ab und zu nahm ich mir auch die Kinder und besuchte Frici und Steve in Harrisburg.

Ich machte mich gut als Ehefrau eines Soldaten. Es gab viele Regeln, mit denen ich meine Probleme hatte, wie zum Beispiel die Tatsache, dass meine Kinder nicht mit den Kindern von Sergeants spielen sollten. Dinge wie diese machten mich echt wütend, doch ich wollte Kurts Karriere nicht im Weg stehen.

In Deutschland war ich in einer Menge Komitees gewesen. Als Schatzmeisterin musste ich auf die dämliche Ehefrau eines Generals hören. Es nervte mich ungemein, wann immer sie mir Befehle gab, doch ich verkniff mir jede unhöfliche Antwort und machte keine Probleme. Wenn Kurt zum Mittagessen nachhause kam, sah er mich oft eine Aspirin nehmen und fragte dann: „Oh, du hattest wohl ein Meeting, stimmt's?" Doch egal wie unangenehm es manchmal war, ich tat nie etwas, das seine Karriere in Gefahr gebracht hätte.

Was das angeht sind Ruthie und ich sehr unterschiedlich. Sie machte es immer allen recht und war immer ausgesprochen nett. Ich konnte das nicht. Ich war anders und um ehrlich zu sein, wollte ich das auch so. Ich mag es nicht eingeschränkt zu werden oder gesagt zu bekommen, was ich tun soll und wie ich es zu tun habe. Deswegen war mir Schule—die Freiheit zu denken—immer so wichtig.

Ernest und Ruth in Brooklyn (1955).

Manci und Kurt in Baden-Baden, Deutschland (1956).

Ruth und Ernest mit Evy (1949).

Kurt mit Rhonnie und Sandy in Nellingen, Deutschland (1956).

Ruth und Ernest mit David und Evy (1956).

*Kurt im Hauptquartier der 7th US Army in Frankfurt, Deutschland
(1956).*

Ernest, Ruth, David, Evy und der kleine Zvi (1966).

Manci und Kurt in Honolulu, Hawaii (1965).

Verbindungen nach Israel

1968-1975 — Ruthie

Ich weiß noch, dass man uns damals in Schweden einiges an Druck gemacht hatte, nach Israel zu gehen. Eli, der sich in Fjallgarden um uns gekümmert hatte, hatte unbedingt gewollt, dass wir das taten. Er hatte immer wieder wiederholt, dass sie uns dort brauchten. Doch Manci hielt nicht viel von der Idee. Vielleicht weil unsere Eltern vor dem Krieg gegen den Zionismus gewesen waren. Oder vielleicht wollte sie nach allem, was wir durchgemacht hatten, einfach, dass wir in Sicherheit waren.

Ernest und ich verfolgten die Nachrichten aus Israel. Wir kannten Leute, die dort hingezogen waren. Nachdem Krieg in 1967 entschieden wir, endlich selber nach Israel zu reisen, wo wir bei Zahava, meiner Freundin aus der Kindheit, wohnten.

Kurz darauf machte Evy ihren High-School-Abschluss. Sie war von israelischen Lehrern in der hebräischen Sprache und Kultur sowie den Lehren des Tanach unterwiesen worden. Nach ihrem Abschluss entschloss sie sich, den Sommer in einem Kibbuz in Israel zu verbringen, bevor sie ihr Studium an der Columbia University begann. Im Sommer 1968 ging sie nach Jerusalem, um als Freiwillige in einem Krankenhaus auszuhelfen. Bei einem Ausflug zur Sinai-Halbinsel traf sie einen jungen Israeli im Kino. Sein Name war Shalom Orkaby und er war zuvor ein Fallschirmjäger in der Armee gewesen. Er versprach, mit ihr in Kontakt zu bleiben, als sie zurück in die USA ging.

Wieder in den USA erhielt Evy dann ein Paket, worin sich ein rotes Barett und Fallschirmjägerflügel befanden. Ihre Reaktion darauf war: „Er hat sein Versprechen gehalten. Er scheint ein guter Junge zu sein." Evy ging im Dezember 1969 zurück nach Israel und im September 1970 zog Shalom in die USA. Er arbeitete als Sicherheitspersonal für El Al. Als die beiden uns erzählten, dass sie heiraten wollten, fanden wir das zunächst überhaupt nicht gut. Meine Schwiegereltern sträubten sich dagegen, schlichtweg weil sie ihn und seine Familie nicht kannten—sie waren arabische Juden aus dem Jemen. Wir schrieben einen Brief an den Schwager meines Cousins, welcher in Israel lebte, um mehr über die Familie zu erfahren. Er erklärte uns: „Wenn er aus dem Jemen kommt und religiös ist, dann braucht ihr nicht nach jemand besseren suchen."

Evy und Shalom heirateten im Sommer 1971. Mancis Tochter Rhonda war Trauzeugin. Als im Jahr 1973 der nächste Krieg in Israel ausbrach, ging Shalom zurück um zu kämpfen. Unser Sohn Zvi war noch ein kleiner Junge und schaute oft Fernsehen, in der Hoffnung Shalom vielleicht sehen zu können, weil er ihn so vermisste. Alle in der *Shul* weinten bitterlich, als er fortging, und freuten sich ungemein, als er nach dem Krieg gesund zurückkam. Er und Evy hatten eine Tochter namens Yael und Shalom begann ein Studium zum zertifizierten Buchhalter am Baruch College.

Im Januar 1979 zogen sie nach Israel, wo Evy als Pharmazeutin und Shalom bei einer großen Buchhaltungsfirma arbeitete. Sie kauften sich eine Wohnung in Rishon LeZion, kehrten jedoch bereis fünfzehn Monate später in die Staaten zurück, wo Evy eine weitere Tochter zur Welt brachte, Adi. Die Wohnung in Israel haben sie jedoch behalten.

Zunächst mieteten sie ein Apartment etwa vier Blocks von uns entfernt. Sie suchten überall nach einem Haus, fanden aber keines, das ihnen gefiel. Dann fanden wir heraus, dass die Leute uns gegenüber ihres verkaufen wollten. Evy und Shalom schauten es sich an und kauften es.

Shaloms Freunde hatten ihm geraten, nicht so nah an seinen Schwiegereltern zu wohnen, doch Ernest und er wurden schon bald beste Freunde; sie waren unzertrennlich. Jeden Sonntag gingen sie nach Borough Park, um einkaufen zu gehen und dann Mittag zu essen. Danach kamen sie Heim und saßen zusammen auf der Treppe. Sie mochten einander wirklich sehr.

Aloha und Aloha

1964-1969 — Manci

Nach Korea dachte ich, man würde Kurt in das Konsulat in Hong Kong versetzen. Dort wäre er ein Attaché gewesen und wir wären mit ihm gekommen. Aufgrund eines ungarischen Aufstandes zur der Zeit, entschied man, dass es ein zu großes politisches Risiko sei. Weil sein Aufenthalt in Korea eine „Hardship Tour" gewesen war, durfte er sich seine nächste Stationierung aussuchen. Wir suchten uns zusammen Hawaii aus. Dort hatten wir und die Kinder eine großartige Zeit. Das Militär hatte einen eigenen Strand auf Waikiki —Fort DeRussy Beach—an dem wir so gut wie jedes Wochenende verbrachten. Dort gab es zwei schwimmende Docks mit Sprungbrettern.

Es gab eine Zeit auf Hawaii, in der meine Vergangenheit ein Problem wurde. Rhonnie war ein Teenager und benahm sich häufiger daneben. Kurt wollte ihr verdeutlichen, welch ein wundervolles Leben sie im Vergleich zu mir im selben Alter hatte. Ich hatte den Kindern nichts erzählt. Doch Kurte nutzte meine Vergangenheit manchmal, um ihnen Schuldgefühle einzureden. Er erklärte ihnen, dass sie um mich herum vorsichtig sein mussten, weil ich ein Konzentrationslager überlebt hatte.

Ich hatte immer das Gefühl, dem gewachsen zu sein. Ich war keine Märtyrerin und das wollte ich auch nie sein. Also sagte ich ihm, er solle damit aufhören. Danach sprachen wir nie wieder darüber.

Wir hatten so viele Gäste—alte Arbeitskollegen, Verwandte und sogar zwei Freunde von Arne aus Dänemark. Auch Ernest und Ruthie besuchten uns auf Hawaii. Magdas Tochter Nette kam den ganzen Weg aus Schweden und blieb mehrere Monate bei uns. Einmal schnappten wir uns die Kinder und reisten nach Japan; ein wundervoller Trip, auf dem wir uns all die wichtigsten Sehenswürdigkeiten anschauten, auch den Fuji.

Anstatt einfach von Hawaii zurück nach Virginia zu fliegen, machten wir daraus ein Abenteuer. Wir fuhren mit der Lurline, einem Luxuskreuzfahrtschiff, nach Los Angeles. Von dort flogen wir dann nach Toledo in Ohio, wo wir einen Oldsmobile 98 abholten und weiter nach Virginia fuhren.

Es war das Jahr 1968. Kurt hatte immer gesagt, dass er zwanzig Jahre in der Armee dienen würde, mehr nicht. Doch dann waren die zwanzig Jahre vorbei und er stand kurz vor einer Beförderung zum vollen Colonel. Er wollte bleiben. Ich erklärte ihm ständig: „Du wirst immer einen Grund finden zu bleiben." Kurt war zweiundvierzig Jahre alt.

Es kam zu dem Punkt, an dem ich einfach „nein" sagte. Ich hatte es nie besonders toll gefunden, dass die Kinder kein stabiles zuhause hatten und mittlerweile waren sie Teenager und hatten Freunde. Als sie jünger waren, hatte es keinen so großen Unterschied gemacht. Außerdem hätte es sein können, dass ihn seine Arbeit beim Militär als nächstes nach Vietnam führen würde.

Ich hatte einen starken Verbündeten in dieser Sache; seinen kommandierenden Offizier in Fort Eustis. Er war in Vietnam und hatte nur schreckliches zu erzählen. Die GIs machten all die Arbeit, während die Offiziere in ihren Klubs herumsaßen. Der Mann selbst war kurz davor General zu werden. Weil seine Frau sehr krank wurde, musste er nachhause kommen. Er wiederholte immer wieder, dass Kurt zu intelligent für sowas war. Wer schlau ist, springt nach zwanzig Jahren ab, vielleicht sogar etwas früher, wenn man eine gute Ausrede hat. Und Kurt musste sowieso nur achtzehn Jahre dienen, weil ihm zwei Jahre als eingezogener Soldat während des Vietnamkrieges zugeschrieben wurden.

Als Kurt an der Wharton gewesen war, hatte er Harold Strom kennengelernt, einen Gastprofessor der University of Oregon, der ihm erzählt hatte, dass sie dort ein großartiges PhD-Programm hatten, falls er irgendwann mal promovieren wollte.

Es war mitten im Schuljahr. Rhonnie und Sandy hatten drei Jahre auf Hawaii verbracht, als Kurt den Befehl bekam, zurück nach Virginia zu kommen. Wir entschieden, dass er stattdessen abtreten und wir nach Eugene in Oregon ziehen würden.

Auf deutschem Boden

1979 — Ruthie

Ich schätze Ernest und mich hatte so ein wenig das Zionismus-Fieber gepackt, vor allem nach dem Krieg in 1967, also flogen wir hin. Kurz nachdem Evy und Shalom dort hingezogen waren, entschieden wir sie fürs Pessachfest zu besuchen. Nachdem wir die Reise gebucht hatten, fanden wir heraus, dass sich El Al im Streik befand, weswegen wir einen anderen Flug nehmen mussten. Weil die Schicht der neuen Bordmannschaft zu lang wurde, mussten wir an einem anderen Flughafen zwischenlanden und auf die nächste Crew warten. Wir hielten in Frankfurt.

Ich verstand nicht, wie andere Überlebende nach dem Krieg freiwillig zurück nach Deutschland gehen konnten und sogar dort lebten. Für mich war es bereits schrecklich auch nur Fuß auf deutschen Boden zu setzen. Wir mussten warten. Die jüdischen Passagiere waren aufgebracht darüber, stundenlang in Deutschland festzustecken. Ernest und ich hatten Zvi dabei, welcher damals elf oder zwölf Jahre alt gewesen sein muss. Es war eine verwirrende und erschöpfende Erfahrung.

Als wir endlich in Israel ankamen, ließ der Kapitän verlauten, dass wir wieder warten mussten, weil die Treppe kaputt war. Am Ende waren wir insgesamt fünfundzwanzig Stunden unterwegs. Wir waren so müde. Kurz bevor wir wieder abreisen sollten, informierte uns El Al, dass sie von unserem Trip gehört hatten, und dass wir ein paar Tage länger bleiben könnten, falls wir das wollten. Ich antwortete: „Nein, ich möchte nachhause."

Doch wir vermissten die beiden, also planten wir später im selben Jahr für *Rosch ha-Schana*, *Jom Kippur* und *Sukkot* zurückzufliegen. Das Wohnungsgebäude, in dem sie lebten, hatte sonst keine orthodoxen Familien. Wir bauten sogar eine *Sukka*—eine Laubhütte.

Am letzten Tag der Feierlichkeiten—*Simchat Tora*—wurde in Rishon LeZion ein Fest organisiert, wo Menschen in einem großen Park um die Tora tanzten. Wir waren dort schon einmal gewesen und Ernest hatte ein paar Leute in der Synagoge kennengelernt. Einer davon ging zum Bürgermeister, der das ganze organisierte, und erzählte ihm: „Wir haben hier jemanden aus Amerika zu Besuch und es wäre toll, wenn Sie ihn bitten könnten, mitzutanzen." Also rief der Bürgermeister über Lautsprecher aus: „Würde Naphtali aus Amerika bitte hochkommen und mittanzen?" Ernest hatte großen Spaß.

Ich glaube Manci und Kurt gingen auch einmal nach Israel; es war Teil einer Kreuzfahrt mit Trans World America (TWA). Sie besuchten Hendu, aber ich glaube nicht, dass sich meine Schwester je so von Israel angezogen gefühlt hat wie ich. Vielleicht fühlt sie sich wohler in ihrem neuen Leben als im alten, oder es liegt an dem größeren Fokus auf religiöse Praktiken in der israelischen Kultur, doch Manci und Kurt identifizieren sich nicht mit dieser Form des Judentums. Oder vielleicht will sie einfach nicht an unsere Vergangenheit erinnert werden.

Ich bin ein großer Unterstützer Israels, auch wenn ich nie dort leben wollte. In der Region gibt es zu viel Konflikt und Hass zwischen Menschen und Nationen. Davon hab ich in meinem Leben genug erlebt, daher reicht es mir, dort zu Besuch zu sein.

Eine Karrierefrau

1969-1983 — Manci

Ich begann 1969 für Jim Callahan zu arbeiten. Zu Beginn waren er und ein weiterer Buchhalter meine einzigen Arbeitskollegen. Callahan behandelte mich wie eine Ebenbürtige. Es war der Himmel auf Erden; er war ein großartiger Chef. Er war ein Soldatenkind und stellte mir alles zur Verfügung, was ich brauchte. Irgendwann entschied er, dass er sich vergrößern wollte. Er stellte zwei neue Buchhalter ein, die ich nicht ausstehen konnte, weil sie mich wie eine Untergebene behandelten. Mein ursprünglicher Kollege sah die Sache genauso. Er erklärte Callahan, dass er kündigen und seine eigene Firma gründen wollte. Danach kam er zu mir, da er wusste, wie unglücklich ich war. Er bat mich, für ihn zu arbeiten, und ich sagte ja. Callahan versuchte mich umzustimmen, doch ich erzählte ihm, dass ich mit der Arbeitsatmosphäre nicht mehr klarkam. Das wars. Er wollte mir eine Abschiedsfeier schmeißen, doch ich lehnte dankend ab; ich wollte nur weg. Eines Tages, als es strömend regnete, stand er auf einmal vor meiner Haustür, mit einer kleinen Schachtel in den Händen und einer Halskette darin, welches einen Tennisschläger als Anhänger hatte. Dazu hatte er mir auch noch eine ausgesprochen liebe Nachricht geschrieben.

Ich hatte zehn Jahre für Callahan gearbeitet und danach fünf weitere bei dem anderen Buchhalter. Callahan hatte einen wundervollen Empfehlungsbrief für mich verfasst, den ich bis heute behalten habe. Darin steht: „Frau Manci Beran hat fast zehn Jahre für diese Firma gearbeitet. Die gesamte Zeit über war sie ein vorbildliches Mitglied unseres Personals. Sie ist loyal und sie arbeitet hart, gründlich und gewissenhaft. Auch unsere Klienten wussten sie sehr zu schätzen. Wir bedauern Mancis Abschied, haben aber Verständnis für ihre Gründe. Wir würden ihre Rückkehr jederzeit begrüßen."

Kurt begann direkt nach unserer Ankunft in Eugene an der University of Oregon zu lehren. Er promovierte im Jahr 1974, woraufhin ihm eine Stelle an der Oregon State University in Corvallis angeboten wurde, vierzig Meilen von unserem Wohnort entfernt. Er und ein anderer Professor aus Eugene pendelten zusammen zur Arbeit.

Zu der Zeit hatte Rhonda ein Studium am Southern Oregon College begonnen und war nach ihrem ersten Jahr auf die University of Oregon gewechselt. Sandy ging auf die Oregon State University. Sie verbrachte die gesamten vier Jahre ihres Studiums dort und besuchte Kurt ab und zu zum Mittagessen in seinem Büro.

Kurt und ich verreisten weiterhin gerne. 1974 gingen wir nach Mexiko und flogen von dort weiter nach Costa Rica. Weil wir schon so nah dran waren, meinte Kurt, wir sollten auch nach Panama gehen, wo er nach seiner Flucht aus Österreich für eine Weile gelebt hatte.

1977 reisten wir nach Rom, Capri und Sorrento. Wir gingen auch nach Israel, wo wir meine Cousine Hendu besuchten. Sie war von den Russen befreit worden und zurück nach Munkács gegangen. Dort hatte sie geheiratet und als Justizfachangestellte für die

Regierung gearbeitet. Sobald es Juden in den Sechzigern von den Russen erlaubt worden war auszuwandern, waren sie nach Israel gezogen.

Im nächsten Jahr gingen wir nach Alaska. Wir nahmen den Landweg über Vancouver. Und ein paar Jahre danach machten wir eine Kreuzfahrt in der Karibik, von Nassau in den Bahamas durch die Jungferninseln.

Egal wohin es ging, wir reisten immer erster Klasse. Wir erlaubten uns jeden Luxus, den wir wollten, ob es nun Kreuzfahrten oder andere Urlaube waren. Und jedes Mal wenn wir eine Reise machten, kauften wir eine Postkarte und hingen sie an ein schwarzes Brett. Das Brett ist komplett bedeckt und hängt noch heute in meiner Garage. Es zog uns auch zurück nach Hawaii. Dort trafen wir uns mit Ruthie und Ernest. Ich glaube Edith und Izzy waren auch da. Wir wohnten in dem Militärhotel Hale Koa.

Wenn ich mich richtig entsinne, sind auch Frici und ihr Mann Steve nach Hawaii gekommen. Über all die Jahre hinweg versuchten Frici und ich uns so oft wie möglich zu sehen. Wenn es mal länger nichts wurde, telefonierten wir oder schrieben einander. Wir standen uns sehr nahe. Für immer.

Zurück in die Heimat

1989 — Ruthie

Ich hatte schon immer nachhause gehen wollen; nach Mukačevo, wie man es genannt hatte, als es noch zur Tschechoslowakei gehörte, oder Munkács, den Namen, den es erhalten hatte, nachdem die Ungaren die Kontrolle übernommen hatten. Nach dem Krieg war die Region von der Sowjetunion besetzte worden und schlussendlich zu Mukatschewo in der heutigen Ukraine geworden. Auch Ernest wollte die Region nochmal sehen und wir nahmen unsere Tochter Evy mit, um ihr unsere Wurzeln zu zeigen.

Wir landeten in Budapest, von wo wir ein Taxi nach Strabychovo nahmen, welches noch immer Teil von Ungarn war. Ich wollte das Grab meiner Großmutter finden, da Evy nach ihr benannt worden war. Obwohl es eine Weile dauerte, standen wir irgendwann tatsächlich davor. Die Worte auf dem Grabstein waren kaum lesbar. Nicht weit weg von uns stand eine andere Familie und sie kamen herüber, um zu sehen, wer wir waren. Sie brachten uns eine Bürste und Evy begann zu schrubben, bis der Name auf dem Stein klar zu erkennen war.

Da wir ein paar Freunde hatten, die noch in der Gegend lebten, konnten wir einen neuen Grabstein besorgen lassen. Zu den Namen meiner Großmutter und eines Onkels fügten wir die Namen meiner Eltern, meiner drei Schwestern und meiner drei Brüder hinzu, welche in Auschwitz ermordet worden waren. Sie hatten nie ein Grab bekommen.

Danach überquerten wir die Grenze zur Ukraine, um nach Mukatschewo zu gelangen. Ich hatte immer den Traum gehabt, den Verlobungsring und den Hochzeitsring meiner Mutter zu finden, welche sie vor unserem alten Haus vergraben hatte, um sie vor den Deutschen zu verstecken.

Aus dem Hotel in Budapest hatte ich den größten Löffel mitgenommen, den ich finden konnte, um ihn als Schaufel zu benutzen. Unser Haus stand noch am selben Ort, doch es war zu drei Wohnungen umgewandelt worden. Einer der Anwohner lud uns in sein Apartment ein, wo unsere Küche zu seinem Schlafzimmer geworden war. Eine andere Person, die dort lebte, dachte tatsächlich, dass wir gekommen waren, um das Haus zurückzufordern. Ich erklärte ihm: „Ich möchte das Haus nicht zurückhaben. Ich habe ein viel schöneres in Amerika." Der Bereich vor dem Haus—wo meine Mutter ihren Garten gehabt hatte—war mit Zement bedeckt worden. Ich erzählte der Person, die gedacht hatte, wir würden das Haus wiederhaben wollen, dass meine Eltern dort Goldmünzen versteckt hätten. (Das hatten sie nicht.

Nur die beiden Ringe.) Als wir im nächsten Jahr zurückkamen, waren überall Löcher ausgehoben!

Wir gingen auch die folgenden Jahre immer wieder zurück. Dabei führten wir *Kever Avot* aus—die Rückkehr an die Grabstätte geliebter Verwandter—und schauten uns den neuen Grabstein meiner Großmutter an. Wir besuchten auch das Grab des Munkácser Rebbe. Bei einem der Besuche fanden wir das Grab meines Großvaters, welcher in einem Krankenhaus im naheliegenden Beregszász gestorben war.

Obwohl es mir das Herz brach, all diese Orte aus meiner Kindheit wiederzusehen, hielt ich es trotzdem für wichtig, das zu tun. Die Straßen, die in meinen Erinnerungen so groß und beeindruckend gewesen waren, kamen mir nun klein und schmuddelig vor. Alles war so alt und heruntergekommen und doch konnte ich darin noch erkennen, wie es einst gewesen war.

Spanische Literatur

1983-1989 — Manci

Ich freute mich darüber, dass das Jahr 1983 mit zwei Hochzeiten begann. Beide unsere Töchter heirateten in dem Jahr: eine im Januar, die andere im März.

Nach ihrem Abschluss an der University of Oregon arbeitete Rhonda im Büro der Business School. Dort lernte sie Daniel kennen, welcher an der Uni seinen PhD machte. Die beiden wurden ein Paar. Rhonda erhielt ihren MBA und er promovierte kurz darauf.

Sie heirateten im Offiziersklub des Presidio, einer Militärbasis in San Francisco, wo Rhonda bei einer Bank arbeitete. Es war eine kleine, nicht-religiöse Hochzeit, da keiner von beiden religiös war. Natürlich waren Ruthie und Ernest auch dabei. Sie freuten sich so sehr für Rhonda. Ein Cousin von mir, Anshu, von dem ich viel hielt und dem ich relativ nahe stand, war auch eingeladen, doch er erklärte mir, dass er nicht kommen würde, weil Daniel kein Jude war. Was das anging, stellte sich Anshu als komplett intolerant heraus.

Nach ihrem Universitätsabschluss machte Sandy eine Reise nach Europa. In einem Zug in Frankreich lernte sie einen jungen Mann kennen. Sein Name war Tracy und er war ein Kanadier, dessen Familie aus Vancouver kam. Für mehrere Jahre führten sie eine Fernbeziehung. Statt die Hochzeit nicht-religiös zu halten, wie Rhonda und Daniel, heirateten sie in einer Kirche in Portland, wo Sandy bereits für eine Weile gelebt und gelehrt hatte. Außer Kurt, Rhonda und mir kam niemand aus unserer Familie zur Hochzeit. Wenn man mich fragt, bringt Religion nur Probleme. Alle denken ihr Gott ist der einzig wahre Gott. Ich schätze, jene, die religiös sind, haben Glück, denn Religion bietet einem all die Antworten, nach denen man sich sehnt, und Regeln, die man leicht befolgen kann. Doch wie konnte Gott Auschwitz geschehen lassen?

Sobald wir uns in Oregon eingelebt hatten, begann ich Kurse zu belegen. Einfach so aus Spaß. Kurt und ich gingen jeden Morgen zusammen zur Uni. Ich war eine Teilzeitstudentin und suchte mir Kurse aus allen möglichen Fachgebieten aus: zum Beispiel mein Lieblingsfach Physik, Chemie, und Geschichte. Abgesehen von einem Kurs über Ökonomie belegte ich nichts, was mit Wirtschaft zu tun hatte. Über die Jahre hinweg besuchte ich eine gehörige Menge an Kursen. Spanisch lernte ich auch. Ich beneidete Kurt dafür, eine lateinische Sprache zu beherrschen. Außerdem hatte ich, trotz der vielen Sprachen, die ich bereits sprach, viele der Leute, auf die wir auf unseren Europareisen getroffen waren, nicht verstehen können.

Eines Tages bat mich der Direktor, in sein Büro zu kommen, und erklärte mir, dass ich zu viele Leistungspunkte ansammelte. „Sie müssen sich für ein Hauptfach entscheiden." Wir schauten uns meine Leistungspunkte an und entschieden uns für Spanische

Literatur. Die folgenden Kurse waren alle auf Spanisch. Ich weiß noch, wie schwer es war Don Quixote auf Spanisch zu lesen. Die ganze Zeit über brauchte ich ein Wörterbuch.

Ich machte meinen Abschluss im Jahr 1989 und zwar magna cum laude. Außerdem machte man mich zum Mitglied von Phi Beta Kappa, der nationalen Ehrengesellschaft. Mein Diplom hängt bei mir zuhause an der Wand, direkt neben meinem Klassenfoto von der Royalen Ungarischen Betriebswirtschaftsakademie aus dem Jahr 1944.

Ich ging jedoch nicht zu meiner Abschlussfeier. Kurt hatte zu etwa derselben Zeit Geburtstag und es war unsere kleine Tradition, nach Reno zu fahren und zu spielen. Von Eugene aus brauchte man sieben Stunden dorthin. Bevor wir uns auf den Weg machten, zog ich mir eine ausgeliehene Abschlussrobe an und Kurt fotografierte mich im Esszimmer. Dann ging es los. Das neue MGM hatte gerade aufgemacht.

***

Ein wandelndes Wunder

1990 — Ruthie

Ich wachte auf und fühlte mich schrecklich. Wir waren gerade von einer Reise nach Mukatschewo und Israel heimgekehrt. Zunächst dachte ich, es wäre nur der Jetlag, aber schon bald begann ich mich zu übergeben und unerträgliche Kopfschmerzen zu haben. Ich ging zur Notaufnahme und wurde dann im Columbia Presbyterian Krankenhaus aufgenommen, wo sie eine Computertomographie und Angiografie machten. Mir wurde eine Blutung auf der rechten und ein Aneurysma auf der linken Seite des Kopfes diagnostiziert. Ich musste operiert werden.

Manci kam sofort herübergeflogen und kam in der Nacht vor meiner OP an. Der Arzt erklärte mir: „Wir werden Ihren Kopf von Ohr zu Ohr aufschneiden und uns um beide Seiten gleichzeitig kümmern." Bei ihm hörte es sich an wie eine simple Prozedur und sein Selbstbewusstsein beruhigte mich.

Wenn ich daran zurückdenke, kommt mir dieses Ereignis wie eines von vielen Wundern in meinem Leben vor. Ganze elf Tage lang hatte ich eine Hirnblutung gehabt. Die Operation dauerte acht Stunden. Es ist erstaunlich, wie der Einfluss Gottes in allem zu erkennen ist. Damit das Aneurysma nicht aufbrach, musste sich eine Blutung bilden, welche im Endeffekt mein Leben rettete. Wochen nach meiner OP sah ich doppelt, daher riet mir mein Chirurg, zum Augenarzt zu gehen. Mein Termin war am 13. August 1990.

Am späten Morgen jenen Tages begannen Ernest und ich die zweistündige Fahrt dorthin. Ich war mit dem Kassettenspieler im Auto beschäftigt, als sich die Straße auf einmal holprig anfühlte. Ernest war am Steuer eingeschlafen und als ich aufblickte, schnellten wir eine Rampe Richtung Wasser hinunter. Das Auto stürzte in einen See und sank langsam hinunter. Wasser strömte in den Wagen und mich packte wilde Panik. Ernest konnte nicht schwimmen. Dann bemerkte ich, dass die Nähte an meinem Kopf aufgerissen waren und ich stark blutete. Wir würden ertrinken, da war ich mir sicher. Ich kämpfte mit den Türen und zu meiner Verblüffung ging eine der hinteren irgendwann auf. Ich schwamm aus dem sinkenden Auto ans Land. Der Boden war steinig und ich musste über einen Zaun klettern, um zur Straße zu gelangen. Ich rief um Hilfe und eine Frau hielt an. Später erfuhr ich, dass ein LKW-Fahrer gesehen hatte, wie wir von der Straße abgekommen waren, und sofort die Polizei kontaktiert hatte. Bevor sie uns erreichten, hatten bereits zwei Männer angehalten, um zu helfen. Einer zog Ernest aus dem Auto und der andere versuchte ihn wiederzubeleben.

Aufgrund seiner schweren Verletzungen ging man nicht davon aus, dass Ernest die Nacht überleben würde. Nina, Davids Frau, war als erste im Krankenhaus. Evy und Zvi kamen kurz danach. Gegen Abend erreichten Shalom und Tova, Zvis Frau, das Krankenhaus.

David befand sich auf einer Konferenz in Dallas und nahm den erstmöglichen Flieger nachhause. So viele waren für uns da, als wir sie brauchten: Manci und Kurt, unsere Enkel, die täglich in der Schule das *Tehillim* aufsagten, und die Menschen, welche an der *Kotel* in Israel beteten.

Ich hatte mir drei Rippen angebrochen und brauchte einunddreißig Stiche auf meiner Stirn und weitere zweiundzwanzig, um meine OP-Wunde wieder zuzunähen. Ernest hing an einem Atmungsgerät und viel eine Woche lang immer wieder ins Koma. Für viele weitere Wochen musste er über einen Dschungel von Schläuchen ernährt und am Leben gehalten werden. Einmal mussten sie ihn reanimieren. Er verlor achtzehn Kilo Körpergewicht und verbrachte sieben Wochen auf der Intensivstation. In den folgenden Wochen kämpfte er sich vom Rollstuhl zur Gehhilfe und dann zum Gehstock. So richtig erholt hat er sich jedoch nie. Sein Herz war für immer geschwächt und der Luftröhrenschnitt erschwerte ihm das Sprechen. Doch er hatte überlebt—die Krankenschwestern nannten ihn „ein wandelndes Wunder"!

Einmal mehr in meinem turbulenten Leben wurde die *Chewra Kadischa* am Ende doch nicht gebraucht. Einmal mehr ging unser Leben weiter.

Eine sentimentale Reise

1988-1991 — Manci

Kurt und ich hatten 1948 geheiratet, also war 1988 ein besonderes Jahr für uns. Wir hatten solches Glück gehabt: das Glück einander zu finden, solch tolle Kinder zu haben und so erfolgreiche und erfüllte Leben zu führen.

Zu Beginn des Jahres luden uns Sandy und Tracy zu einer wundervollen Reise ein. Wir flogen nach Vancouver. Von dort fuhren wir mit dem Zug durch die kanadischen Rocky Mountains und den Jasper Nationalpark, von Vancouver zum Lake Louise und nach Edmonton. Es war alles so unglaublich schön.

Und dann gingen wir auf unsere „sentimentale Reise", wie Kurt sie nannte. Über einen Monat waren wir unterwegs. Wir flogen nach Kopenhagen und nahmen von dort aus den Zug nach Wien. Als wir wegen Kurts Stationierung in Deutschland gelebt hatten, waren wir kurz in Wien gewesen, doch dies war das erste Mal, dass ich die Stadt, in der Kurt geboren war, ausführlich erkundete. Dann ging es nach Budapest, wo Hendu und ich für meinen Vater hingefahren waren, kurz bevor die Deutschen in Ungarn einfielen. Wir übernachteten im Intercontinental Hotel.

In Budapest gingen wir in ein Restaurant, wo ein Roma-Orchester für die Gäste spielte. Der Dirigent ging von Tisch zu Tisch und fragte die Leute, ob sie ein Lieblingslied hätten. Ich sagte zu ihm, dass ich gerne das Lieblingslied meiner Eltern hören würde, aber dass er es wahrscheinlich nicht kannte, da es sehr alt war. In dem Lied geht es um eine von Akazien gesäumte Allee in Budapest. Es beginnt so: „Wenn ich gehe, erinnere ich..." Zu meiner großen Überraschung kannte der Herr das Lied! Es hieß „Akácos Út". Welch eine Freude! Außerdem hatte ich Spaß daran, in einem Land zu sein, wo Kurt die Sprache nicht konnte. Überall sonst beherrschte er sie fließend, ob es Deutsch, Spanisch oder Italienisch war.

Wir besuchten auch meine alte Freundin Kis Magda, welche nach unserem Aufenthalt in Schweden nach Ungarn zurückgekehrt war. Wir waren die Jahre über in Kontakt geblieben. Ungarn litt schon seit längerer Zeit unter Wirtschaftsproblemen, daher schickte ich ihr ab und zu etwas, zum Beispiel Stoff für ein Kleid. Wir gingen zusammen mit ihr und ihrem Ehemann essen. Später nahmen sie uns auf eine Bootstour auf der Donau mit.

Danach fuhren wir mit dem Zug und der Fähre nach Dubrovnik in Jugoslawien und flogen zurück nach Kopenhagen. Ein paar Tage darauf gingen wir nach Schweden, um Magda und Arne zu besuchen.

Während Kurts Zeit in der Armee waren wir so viel gereist, dass es ganz normal für uns geworden war. Es machte uns auch einfach großen Spaß, vor allem jetzt, wo die Kinder verheiratet und wir für uns allein waren. Wir hatten das Geld und wollten immer wieder neues sehen und erfahren.

Ruthie war da anders. Sie und Ernest hatten ihre Routine, in der es sie hauptsächlich nach Mukatschewo und Israel verschlug. Sie kennt Israel in und auswendig. Nach Israel zu gehen war für sie so vertraut, wie wenn ich nach Portland in die Innenstadt fuhr. Kurt und ich wollten lieber neues erleben, anstatt das Bekannte aufzusuchen.

Ruthie und Ernest machten jedes Frühjahr einen Ausflug nach Desert Hot Springs in Kalifornien. Dort nahmen sie sich ein Apartment im Motel, wo sie eine Küche hatten und wofür sie ihre eigenen, koscheren Kochutensilien aus Brooklyn mitbrachten. In der Nähe gab es eine Synagoge. Kurt und ich fuhren jedes Jahr von Eugene aus runter und besuchten sie für mindestens eine Woche. Rhonda und Daniel stießen auch ein paar Mal dazu, weil sie mittlerweile in Los Angeles wohnten und es nicht weit hatten. Sogar Sandy und Tracy kamen mit den Kindern aus Vancouver geflogen und besuchten uns.

Manci arbeitete als Buchhalterin in Eugene, Oregon (1970).

*Ruth und Evy am Grab der Großmutter in Strabychovo, Ungarn
(1989).*

Manci und Kurt auf der Royal Viking Kreuzfahrt (1999).

Ruth und Ernest bei Aschis Bar Mitzwa an der Westmauer (1997).

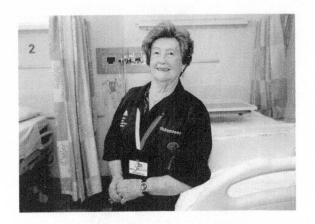

Ruth als freiwillige Helferin im Mount Sinai Krankenhaus (2018).

Sandy, Manci, Kurt und Rhonda (2016).

Rückkehr nach Auschwitz

1997-1998 — Ruthie

Ich hatte 1997 das Privileg eine *Sefer Tora* an eine *Shul* in Brooklyn zu spenden. Für Ernest und mich war die *Hachnasas Sefer Tora* einer der schönsten Tage unseres Lebens. Wir widmeten die Tora unseren Eltern, *zichronam livracha*. *HaSchem* war so gut zu uns gewesen und wir wollten unsere Dankbarkeit kundtun. Wir waren der Meinung, unseren geliebten Eltern, welche ihre Leben getreu der Tora gelebt hatten, so das würdigste Denkmal zu setzen. In ihrem Sinne haben wir auch unsere Kinder zu gläubigen Juden erzogen. *Baruch HaSchem*, unser Vermächtnis lebt in unseren Kindern und Enkelkindern weiter.

Im nächsten Jahr, 1998, feierten wir unseren fünfzigsten Hochzeitstag. Ernest und ich planten eine ganz besondere Reise mit unseren Kindern und Enkeln, sechzehn Leute insgesamt. Zuerst flogen wir nach Budapest, wie wir es immer taten. Wir übernachteten im Beke Hotel, im Zimmer 238, so wie wir es immer taten, seitdem wir 1989 mit Evy das erste Mal zurückgegangen waren. Das Personal reservierte uns immer dasselbe Zimmer.

Wir hatten einen Bus und einen Busfahrer, aber ich weiß noch, dass wir auch unseren Taxifahrer mit dabei hatten. Er war es, der uns gefahren hatte, als wir das erste Mal Mukatschewo besucht hatten. Sein Name war Istevan und er war zu einem guten Freund geworden. Er kannte sich in der Gegend ausgesprochen gut aus, also mussten wir dem Busfahrer nicht alles umständlich erklären.

Was diesen Trip zu etwas besonderem machte—abgesehen davon, dass wir sechzehn Familienmitglieder mitgenommen hatten—war die Tatsache, dass wir unsere Reise nach Polen fortsetzten. Ernest und ich hatten entschieden, unserer Familie zu zeigen, was ich durchgemacht hatte. Wir hatten entschieden, nach Auschwitz zu gehen.

Wir machten die Standardtour. Ein Herr führte uns durch das Lager. Irgendwann zeigte er uns zwei Etagenbetten und erklärte, dass acht Menschen in einem Bett hatten schlafen müssen. Ich ging zu ihm herüber und sagte: „Das stimmt nicht ganz. Es waren zwölf oder dreizehn in einem Bett."

Da waren auch zwei jüngere Paare aus Amerika, welche ursprünglich aus Polen kamen. Deren Eltern mussten extreme Antisemiten gewesen sein, denn sie erklärten uns, sie seien nach Auschwitz gekommen, um zu sehen, ob die Juden vielleicht verdient hatten, was ihnen angetan worden war. Eine Frau fragte mich: „Was hast du getan, um sowas zu verdienen?" Ich antwortete: „Wir waren einfach nur Juden." Das schien sie nicht zu überzeugen, also erwiderte sie: „Aber du hast doch bestimmt irgendetwas getan?" Mir reichte es. „Hör zu", sagte ich. „Ich hatte eine vier Monate alte Schwester. Was meinst du hat sie getan?" Die Frau begann zu weinen. Später sahen wir sie noch einmal und sie weinte immer noch.

Der einzige Ort, den ich mir nicht anschaute, war das Krematorium. Ich sah es von der gegenüberliegenden Straßenseite aus, doch ich konnte da nicht hin. Ich saß auf einer Bank und kümmerte mich um Hillel, meinen ersten Urenkel. Er war so ein guter Junge.

Wie konnte ich nach Auschwitz zurückkehren? Das mögen sich viele fragen. Ich bin stark. Im Lager war Manci die Starke gewesen. Aber danach war ich es, die bereit war, sich dem zu stellen und darüber zu sprechen. Deswegen halte ich die Reden. Wann immer mich jemand darum bittet, kann ich nicht nein sagen, denn jemand muss es tun. Also erzähle ich meine Geschichte. Immer wieder. Für andere mag es einfach Historie sein, doch für mich ist es etwas persönliches.

Am Golfplatz

1997-1999 — Manci

Irgendwann wurde der Regen in Eugene einfach zu viel für uns. Kurt stand am Ende seiner zweiten Karriere als Universitätsprofessor und würde schon bald in den Ruhestand gehen. Wir begannen uns nach einem neuen Wohnort umzuschauen. Als erstes kam uns Palm Springs in den Sinn. Ruthie und Ernest hatten schon seit vielen Jahren regelmäßig Urlaub in der Region gemacht und wir waren aus dem regnerischen Eugene runtergefahren, um sie zu besuchen. Wir suchten uns einen

Immobilienmakler und ließen uns die Gegend zeigen. Er fand uns ein wunderschönes Haus, wo sogar die Garage klimatisiert war. Wir waren sofort bereit unsere Anzahlung zu machen, doch der Herr musste noch die Papiere zusammensammeln oder sowas in der Art, also sollten wir am nächsten Tag wiederkommen. Und als wir im Motel ankamen, sagte Kurt, dass er eigentlich doch kein großer Fan von dem Haus war, weil die Gegend einer Del Webb Wohnsiedlung glich und man auf andere Häuser blickte. Wir fingen an, unsere Hausaufgaben zu machen. Wir waren bisher immer im Frühjahr gekommen, wenn Ruthie und Ernest da waren. Zu der Jahreszeit war das Wetter wundervoll, doch uns war nicht klar gewesen, wie unerträglich heiß es dort im Sommer werden konnte.

Im nächsten Jahr verbrachten wir Weihnachten mit Sandy und Rhonda in San Diego. Kurz bevor wir das Haus verließen, erhielten wir unsere jährliche Hausratversicherungspolice vom Militär. Darin war ein Informationsbrief enthalten, worin sie eine Dienstleistung für einen möglichen Umzug anboten, bei der sie einen Makler kontaktierten, um den Prozess zu vereinfachen. Da wir sowieso auf dem Weg nach San Diego waren, ließen wir dort Hausbesichtigungen für uns arrangieren.

Die Maklerin fragte uns, wonach wir suchten: welche Preisklasse, was für eine Grundstücksgröße, et cetera. An einem gewissen Punkt sagte sie: „Sie wollen nach Rancho Bernardo." Wir wurden am Flughafen abgeholt und herumgefahren. Zunächst fand Kurt überall nur Fehler. Als Rhonda nach Los Angeles zog, versuchten wir es noch einmal. Diesmal wurden wir zu einer neuen Wohnsiedlung gebracht. Kurt war hin und weg, aber es gab keine freien Häuser. Erst anderthalb Jahre später wurde ein Haus frei. Am wichtigsten war es Kurt, direkt am Golfplatz zu wohnen. Er selbst spielte kein Golf, doch er wollte das offene Gelände, die Aussicht.

Nachdem wir uns dort eingelebt hatten—vielleicht ein oder zwei Jahre später—machten wir eine große Reise; die Royal Viking Kreuzfahrt durch das Mittelmeer. Zehn Jahre zuvor hatten wir bereits eine Royal Viking Kreuzfahrt gemacht und sehr genossen, von Baja California in Mexiko nach Puerto Vallarta, Acapulco und den Panamakanal runter.

Ein paar Jahre darauf gingen wir auf meine Traumreise. Wir flogen nach Hawaii und segelten weiter nach Neuseeland, Australien und Tasmanien. Es war das Beste vom Besten. Als wir wieder zuhause waren, sagte ich: „Das wars. Ich bin genug gereist." Doch Kurt kündigte an, dass wir nach meiner Neuseelandreise auch seine Traumreise durch das Mittelmeer machen mussten. Und das taten wir dann auch. Die Kreuzfahrt war großartig: Barcelona, Malta, Ägypten, Athen und die griechischen Inseln. Es kamen viele neue Postkarten auf unser schwarzes Brett!

Wir haben alles richtig gemacht. Kurt hatte hart gearbeitet und zwei erfolgreiche Karrieren gehabt. Auch ich hatte gearbeitet und jedes Jahr Geld in ein Rentenkonto gezahlt. Wir hatten keine Hypotheken abzubezahlen. Den Kindern ging es gut und sie brauchten unsere Hilfe nicht. Es war nicht so, dass wir ein extravagantes Leben führten, doch wir verwehrten uns nichts. Wir waren beide dazu entschlossen, unser Leben aufs Vollste zu genießen.

„Beyond the Tracks"

1998 — Ruthie

Ich schaute den Film „Schindlers Liste". Alle um mich herum weinten. Ich nicht. Für mich war es, als ob ich es von außen betrachten würde. Manci hatte dieselbe Reaktion. Man fragte sich fast: *Ist mir das passiert?*

Steven Spielberg nutzte einen Teil des Geldes, das von dem Film eingespielt wurde, um die Shoah Foundation zu gründen, welche es sich zur Aufgabe machte, audiovisuelle Interviews mit Überlebenden des Holocaust zu produzieren. Im September 1995 kamen sie zu mir in mein Haus in Flatbush. Sie hatten ein Kamerateam dabei und interviewt wurde ich von Leslie Bennett-Troper. Wir unterhielten uns einige Stunden. Ich tat es, weil ich musste und weil ich wollte. Sie gaben mir mehrere Kopien von den Aufnahmen. Eine davon gab ich Edith und sie sagte: „Wieso hast du gesagt dein Name sei Ruth? Wir hatten dich Ipi genannt."

Ich hatte mir geschworen, der Welt von dem zu erzählen, was wir durchgemacht hatten, sollte ich je aus dieser Hölle auf Erden entkommen. Deswegen habe ich auch das Buch geschrieben. Ich glaube ich fing sofort nach dem Shoah Interview an. Ich schrieb zuhause und per Hand. Dabei blätterte ich auch in meinem *Naplo*, meinem Tagebuch aus Schweden. Ich hatte den Text darin auf Ungarisch verfasst und es war um einiges länger, als ich gedacht hatte: siebenundzwanzig Seiten.

Das schreiben fiel mir zu Beginn nicht leicht. Ich schilderte die Jahre, in denen ich in meiner liebevollen Familie in Munkács aufgewachsen war. Ich berichtete von den Grauen, die wir bei der Deportation, in Auschwitz und auf den langen Märschen danach erlebt hatten. Ich erzählte von meiner und Ernests Familiengeschichte. Ich entschloss mich dazu, auch unseren schrecklichen Unfall zu beschreiben. Es war nicht einfach. Einmal schrieb ich, während Ernest oben schlief. Als er die Treppe runter kam, sah er mich weinen und sagte: „Lass es. Ich finde du solltest damit aufhören." „Nein", erwiderte ich. „Ich muss es tun."

Yael, meine Enkelin, half mir mit dem schreiben. Auch für sie war es nicht leicht. Viele der geschilderten Ereignisse sind verstörend, vor allem für einen Verwandten. Doch ohne sie hätte ich das Buch nicht zu Ende schreiben können.

Wir traten an eine Reihe von Verlagen heran und wurden aus verschiedenen Gründen abgelehnt. Irgendwann gab ich eine Kopie des Buches an den Freund einer meiner Kinder. Er war sehr beeindruckt und gab mein Werk an die Orthodoxe Union weiter, welche sich bereit erklärte, mein Buch zu publizieren, und mir einen Lektor zur Seite stellte. „Beyond the Tracks: An Inspirational

Story of Faith and Courage" wurde im Jahr 1997 herausgegeben. Rabbi Moshe Krupka von der Orthodoxen Union verfasste das Vorwort und schrieb: „Die Orthodoxe Union freut sich, diese berührenden und heroischen Memoiren zu publizieren. Für das Teilen ihrer persönlichsten Erinnerungen stehen wir tief in Frau Mermelsteins Schuld. Wir verstehen, wie schwierig das gewesen sein muss. Wir sind davon überzeugt, dass die Leser dieses Buches durch dessen *Emonah, Bitachon* und *avodas HaSchem* inspiriert werden."

Sie wollten mich für das Buch bezahlen, doch ich sagte ihnen sie sollten das Geld an einen guten Zweck spenden. Ich wollte keinen einzigen Penny daran verdienen. Sie verkauften 5.000 oder 6.000 Exemplare in den ersten zehn Monaten. Die zweite Ausgabe erschien ein Jahr später. Ich fügte ein Glossar hinzu, weil nicht nur Juden das Buch lasen, und ich fügte etwas Text hinzu, da ich im selben Jahr das Grab meines Großvaters in Beregszász gefunden hatte.

Wo immer ich eine Rede halte, nehme ich eine Kopie meines Buches mit und spende es der Schule oder Bibliothek. Ich hatte geschworen ein Buch zu schreiben und ich hatte es getan. Es hatte mich viele Jahre gekostet, die Person zu werden, die ich war.

Training fürs Gehirn

1999-2009 — Manci

Kurt und ich liebten es, Bridge zu spielen. Als wir gerade nach Rancho Bernardo gezogen waren, freundeten wir uns mit einem Herren an, der nicht weit weg von uns wohnte. Er hieß Jake und er organisierte einen Bridgeklub mit einer ganzen Menge Leute und Mannschaften. Jakes Frau Alice wurde schwer krank und er bat Kurt für ihn einzuspringen. Als Alice starb, wollte Jake nicht mehr weitermachen und so blieb Kurt der Organisator für die nächsten zwölf Jahre.

Bridge spielen ist ein exzellentes Training fürs Gehirn. Bei all den unzähligen Karten, die ich gespielt habe, kann ich mich nicht daran erinnern, auch nur einmal dieselbe Hand gehabt zu haben. Es war ein schöner Grund um zusammenzukommen, doch den mentalen Aspekt mochte ich sogar noch mehr.

Kurt und ich verfolgten sogar das professionelle Geschehen in den Zeitungen. Wir hatten früher im Offiziersklub gespielt. Kurt und ich spielten immer als Team und wir waren gut. Man braucht Wetteifer und den hatten wir. Der eigene Ehrgeiz ist noch wichtiger als das Gewinnen. Ruthie ist genügsamer und weniger wetteifrig. Sie ist sehr entspannt. Doch sie hält immer an ihren Werten fest. Sie ist stark. Deswegen mag sie jeder. Ich bin entschlossener und übernehme gerne selbst das Steuer. Deswegen ließ mich Ruthie damals im Lager für uns entscheiden.

Auch Filme mochten wir sehr, vor allem die Alten, die Klassiker. Kurt hätte einem die Oscar-Gewinner von den Vierzigern bis zu den Siebzigern aufzählen können—Lauren Bacall, Spencer Tracy, Bette Davis, all deren Filme und die von Alfred Hitchcock auch. Er bat mich oft einen Film auf DVD aufzunehmen, obwohl er ihn schon eine Million Mal gesehen hatte. Zu Geburtstagen oder Weihnachten schenkten Rhonda und Sandy uns häufig diese Filmklassiker-Sammlungen.

Kurt hatte eine Faszination für Geschichte und für Filme und Bücher über den Zweiten Weltkrieg. Mir kamen all die Filme über Nazis sehr oberflächlich vor. Ich glaube Kurt fühlte sich manchmal schuldig, dass ich all das durchgemacht hatte und er dem Trauma entkommen war. Ich wollte einfach nicht darüber reden, doch wenn er mir eine Frage stellte, antwortete ich.

Ich erinnere mich daran, im Kino zu sitzen und „Schindlers Liste" zu schauen. Um mich herum waren alle am weinen, während ich nur dachte: *Ihr denkt, das wäre schlimm gewesen?!* Als Ruthie und ich uns darüber unterhielten, fand ich heraus, dass sie genauso reagiert hatte. Auch sie hatte nicht geweint, weil es für uns nicht mehr war als ein Film. Sie sagte, dass die Leute nicht verstanden, dass der Film nicht unsere Erfahrungen widerspiegelte. Nicht weil er inakkurat war, sondern weil sie ihn wie aus der Ferne betrachtete. Ich sehe das genauso. Auch ich fühlte mich wie ein entfernter Beobachter. Auch heute noch kann ich mir mich selbst nicht dabei vorstellen, diese Dinge durchgestanden zu haben. Es konnte nicht sein.

Ein langer kurzer Abschied

2005-2009 — Ruthie

Ich nenne es mein neues altes Haus. Als wir gerade geheiratet hatten, kauften wir uns ein Haus in Flatbush. Dann bauten wir direkt nebenan ein neues Haus und zogen in eine der höher gelegenen Wohnungen. Dort verbrachten wir die nächsten dreißig Jahre. Nach dem Unfall hatte Ernest Probleme mit den Treppen, also zogen wir zurück nach unten in unser ursprüngliches Haus. Und so wurde es unser neues altes Haus.

Wir stellten zwei Mal Frauen ein, die Ernest im Alltag helfen sollten. Eine davon war Maureen, eine wundervolle Dame aus Jamaika, die sich außerordentlich gut um ihn kümmerte. Ich empfahl sie auch an andere Leute. Sie wurde Teil der Familie und nennt mich sogar „Mommy". Leider musste Maureen irgendwann operiert werden und konnte nicht mehr bei uns arbeiten. Sie hat eine Tochter und eine Enkelin, die jetzt bei ihr leben. Wir halten weiterhin Kontakt. An jedem 12. Juni, ihrem Geburtstag, bekommt sie ein kleines Geschenk von mir.

Nachdem Maureen weg war, brauchten wir eine neue Hilfe, also stellten wir Zura, einen Herren aus Georgien, ein. Er wohnte bei uns und hatte sein eigenes Zimmer. Auch er war ausgesprochen gut zu Ernest.

Sowohl Maureen als auch Zura waren großartig. In gewisser Weise habe ich die beiden adoptiert. Sie wurden Teil der Familie und hätten keine besseren Menschen und Freunde sein können.

Nach dem Unfall fühlte sich Ernest nie wieder richtig gut und war nicht ganz er selbst, doch es ging ihm ok, bis er in den letzten drei oder vier Jahren seines Lebens noch einmal stark abbaute. Wir sorgten dafür, dass immer jemand bei ihm war. Er sagte oft: „Bitte Gott, nimm mich endlich zu dir." Als wahrer Workaholic kam er mit dieser Art zu leben schlichtweg nicht klar. Im Esszimmer habe ich eine ganze Wand voller Bilder von unseren Kindern und Enkeln. Ich brachte ihn häufig dorthin und sagte: „Schau. Sieh dir all die Gründe an, weiterzuleben."

Im Januar 2009 gingen wir nach Desert Hot Springs, so wie jedes Jahr. Dann ging es Ernest plötzlich sehr schlecht. Ihm wurde akute Leukämie diagnostiziert und er starb wenige Tage darauf. Zura war mit uns an seiner Seite.

Nina, David und Zvi kamen aus New York und Florida herübergeflogen. Ernest konnte sie noch einmal sehen und mit ihnen sprechen. Das war gut. Kurz bevor es zu Ende ging, sagte er: „Ich will nicht sterben." Das brach mir das Herz. Seit dem Unfall hatte er immer wieder darum gebeten gehen zu dürfen und jetzt, wo es soweit war, schien er bleiben zu wollen.

Die jüdische Beerdigungsgesellschaft—die *Chewra Kadischa*— brachte seinen Körper nach New York. Nach jüdischem Brauch fand die Beerdigung am nächsten Tag statt.

Im Jahr 1989 waren Ernest und ich das erste Mal nach Munkács zurückgegangen. Ich glaube die nächsten zwanzig Jahre ließen wir nicht ein Jahr aus. Nach seinem Tod ging ich nie wieder dorthin. Ich bin weiter jedes Frühjahr nach Palm Springs gegangen. Meine Kinder besuchen mich dort, doch ich verbringe meine Zeit da hauptsächlich mit Manci, die nur zwei Stunden entfernt wohnt. Und wann immer mich jemand darum bittet, halte ich weiterhin meine Reden. Ich muss. Eine Freundin von mir arbeitete in einer Schule in Palm Springs und die Schüler hatten gerade den Holocaust als Thema. Als ich dort über meine Erfahrungen sprach, zeigten sie großes Mitgefühl und umarmten mich. Ich spendete mein Buch an die Bibliothek. Die Schule hat mich mehrmals darum gebeten, wieder eine Rede zu halten. Ich kann nicht nein sagen.

Nach vorne schauen

2009-2013 — Manci

Eines der Dinge, die uns überzeugt hatten nach Südkalifornien zu ziehen—abgesehen vom Wetter—war die unmittelbare Nähe zu einer Militärbasis. Wir waren nur zwanzig Minuten von der Flugbasis des Marinekorps in Miramar entfernt. Dort gingen wir häufig einkaufen. Außerdem gingen wir in unserer kleinen Nachbarschaft gerne spazieren. Weil das Gebiet eingezäunt war, war es zumeist still und leer. In der öffentlichen Bibliothek von Rancho Bernardo liehen wir uns oft neue Bücher aus.

Rhonda und Sandy hatten mir ein Gerät geschenkt. Es war keine Faxmaschine und kein Computer, doch es erlaubte mir Emails und Bilder zu empfangen. Es hieß Presto. Jetzt hatte ich eine Email-Adresse! Das war toll und es dauerte nicht lange, bis ich ganz viele Emails erhielt. Meine Enkel—Lauren, Cameron und Emma— schickten mir andauernd Benachrichtigungen. Wann immer ich meine Probleme mit dem Gerät hatte, versuchte Rhonda es mir zu erklären. Was Technologie angeht, ist sie eine wahre Zauberin.

An irgendeinem Muttertag—vielleicht 2013—schenkten sie mir dann ein iPad. Ich hatte zunächst so meine Zweifel, ob ich damit würde umgehen können, doch ich hatte mich zuletzt ziemlich gut mit den neuen Fernsehern gemacht und war von

Filmkassetten auf neuere Modelle umgestiegen. Mit dem iPad konnte ich Emails und andere Mitteilungen schicken und empfangen. Frici fand es großartig, dass wir so kommunizieren konnten. All die Bilder von jedem zu sehen ist einfach toll. Ich schaue mir die Nachrichten manchmal immer noch auf dem Fernseher an, doch meistens lese ich sie einfach auf dem iPad. Sandy und Rhonda schicken mir Emails und Links zu Nachrichten, hauptsächlich über die verrückten politischen Zeiten, in denen wir uns befinden. Das machen sie den ganzen Tag.

Ruthie und ich unterhalten uns täglich. Aber sie hat kein Interesse an Computern oder dergleichen. Ich schicke die Nachrichten an Evy, welche bei Ruthie nebenan wohnt. Sie druckt sie dann aus und zeigt sie Ruthie. Ich glaube, ich bin wie Rhonda. Da ist dieses Grundbedürfnis Dinge verstehen zu können. Ich will wissen, was jeder Knopf für eine Funktion hat. Ich benutze mittlerweile meine eigene Signatur in den Nachrichten. Ich habe herausgefunden, wie man die Emojis benutzt.

Vielleicht schaue ich einfach lieber nach vorne und Ruthie blickt lieber zurück. Ich erinnere mich daran, dass Izzy vor Jahren mal mein Tagebuch aus Schweden lesen wollte. Ich weiß nicht wieso. Er fragte mich also, ob er es haben dürfe. Ich hatte es nie ins Englische übersetzt. Ich glaube, ich hatte es mir seit Schweden nicht mal wieder angeguckt. Auf jeden Fall gab ich es ihm. Als er es mir zurückgab, erhielt ich nicht nur das Original, sondern auch eine englische Version, worauf geschrieben stand: „Übersetzt von Edith (Grunberger) Milner". Selbst danach legte ich das Tagebuch einfach weg. Ich wollte mit all dem nichts zu tun haben.

Ich glaube, dass Ruthie und ich uns seit Ernests Tod tatsächlich noch verbundener fühlen als zuvor, falls das überhaupt möglich ist. Ich meine, wir standen uns immer unglaublich nahe. Vielleicht nicht unbedingt damals zuhause in Munkács, weil sie jünger war und Mutter mich immer zwang, sie überallhin mitzunehmen. Zu der Zeit hatte ich Frici und sie hatte ihre eigenen Freunde, wie zum

Beispiel Edith. Das alles änderte sich im Lager. Ohne einander hätten wir nicht überlebt. Und das ist bis heute so.

Das Waldorf Astoria

2009-2016 — Ruthie

Ich hatte immer Krankenschwester werden wollen, doch das Leben hatte etwas anderes für mich im Sinn gehabt. Aber nach dem Tod meines Mannes, wollte ich der Welt etwas zurückgeben. Sowohl Ernest als auch ich waren Patienten im Beth Israel Krankenhaus in Brooklyn gewesen und ich entschied mich dort als freiwillige Helferin tätig zu werden.

Ernest starb im Januar und seit September desselben Jahres arbeite ich im Krankenhaus. Ich bekomme jeden Tag eine Liste mit Patienten, welche ich dann besuche. Ich bringe ihnen ihre Zeitungen und Zeitschriften. Ich sage: „Hallo, ich bin eine Freiwillige. Wie geht es Ihnen? Besser? Kann ich Ihnen etwas bringen?" Die Antwort ist häufig ja. Eiswasser vielleicht oder ein anderes Magazin oder Tee oder Kaffee.

Manchmal helfe ich Patienten, indem ich ihnen das Essen in kleinere Stücke schneide. Einmal betreute ich eine Dame, die fast blind war. Als ich sie zur Mittagszeit besuchte, hatte sie ein volles Tablett vor sich liegen. Sie hatte nichts gegessen. Ich fragte sie wieso. Sie erklärte mir, dass sie das Besteck nicht finden konnte. Also fütterte ich sie. Vor kurzem sah ich eine Frau, die bitterlich weinte. Ich saß fünfzehn Minuten bei ihr und sprach ihr gut zu, bis sie sich beruhigte. Ein anderes Mal fragte ich einen jungen Mann: „Brauchen Sie etwas?" „Ihr Lächeln ist bereits genug", antwortete er. Ich bin keine Krankenschwester, aber ich genieße es, Menschen zu helfen.

Das Krankenhaus ist etwa eine halbe Stunde von meinem Haus entfernt. Zumeist gehe ich zu Fuß. Wenn das Wetter schlecht ist, fährt Evy mich häufig hin. Ansonsten nehme ich den Bus.

Die Freiwilligenkoordinatorin und ich sind enge Freunde geworden. Maya lebt in New Jersey und wenn sie am nächsten Tag früh im Krankenhaus sein muss, übernachtet sie meistens dort. Wir stehen uns wirklich nahe.

Vor etwa acht Jahren erhielt ich meine erste Auszeichnung. Die Veranstaltung fand im Waldorf Astoria statt. Sie war in der Zeitung, mit einem Bild von mir und einem Bild von meiner Familie auf der anderen Seite. Einfach toll. Seitdem wurde ich mehrmals gefragt bei anderen Freiwilligenauszeichnungen eine Rede zu halten. Ich schäme mich immer ein wenig, weil sie mich als Autorin vorstellen und mein Buch anpreisen. Mittlerweile habe ich neun Auszeichnungen erhalten. Im Krankenhaus gibt es eine *Shul* und ich kenne den Rabbi. Als ich meine neunte Auszeichnung bekam, saß er neben mir und sagte: „Sobald Sie die nächste kriegen, haben wir eine *Minjan* zusammen und können beten." In einer Synagoge müssen zehn Männer anwesend sein, damit das Gebet beginnen kann.

Zuletzt schrieb Maya in einem Mitteilungsblatt des Krankenhauses: „Ich kann ehrlich sagen, dass Frau Ruth Mermelstein eine Großmutter für jeden in der Mount Sinai-Gemeinde in Brooklyn ist." Nun, ich habe drei Kinder, zwölf Enkel und mittlerweile achtundvierzig Urenkel—also hat sie vielleicht recht.

Man hat mir gesagt, dass ich die einzige Überlebende des Holocaust unter den Freiwilligen bin. Ich helfe einfach gern.

Die Zeit fliegt

2014-2018 — Manci

Frici hat immer alle meine Emails beantwortet. Alle außer die letzte. Nach ein paar Tagen wusste ich einfach, dass da etwas nicht stimmte. Als ich sie anrief, antwortete ihre Tochter Vivian. Ich fand heraus, dass Frici Krebs hatte, aber nicht wollte, dass jemand außerhalb der Familie davon erfuhr. Ich legte völlig schockiert auf. Ich wollte es nicht wahr haben.

Ich habe sofort Ruthie angerufen. Ich schrie hysterisch ins Telefon. Ruthie sagte mir, dass ich sie zurückrufen musste.

Vivian erklärte mir, dass ihre Mutter mittlerweile niemanden mehr erkannte, doch sie gab Frici trotzdem das Telefon. „Frici", sagte ich und sie antwortete: „Manciiii!" Die Art und Weise, wie sie meinen Namen sagte, hörte sich komisch an, aber nun wusste ich, dass sie meine Stimme erkannte. Sie starb noch am selben Tag. Es traf mich unglaublich schwer. Ich fühlte mich innerlich gebrochen. Das ist jetzt mehrere Jahre her.

Rhonda und Daniel waren bei uns zu Besuch, als es Kurt anfing nicht gut zu gehen. Wir brachten ihn zum Arzt; man diagnostizierte ihm eine Lungenentzündung und schickte ihn ins Krankenhaus. Danach verschlechterte sich sein Zustand weiter. Er litt unter Herz- und Lungenproblemen. Wir schöpften jedoch neue Hoffnung, nachdem er sich gut genug erholte, um wieder nachhause zu kommen. Eine Krankenschwester und ein Physiotherapeut kamen für ihn bei uns vorbei und zu seiner Sicherheit brachten wir Geländer im Haus an.

Alle waren so wundervoll. Ruthie kam mehrmals aus New York geflogen, um bei uns zu sein. Sandy, Tracy und ihre Kinde kamen immer wieder aus Kanada zu Besuch und auch Rhonda und Daniel waren regelmäßig da. Die Nachbarn in unserer kleinen Gemeinde waren ausgesprochen freundlich.

Einige Monate später musste Kurt zurück ins Krankenhaus, wo man entschied, ihn in eine benachbarte Pflegeanstalt zu bringen. Über die nächsten vier Monate hinweg entwickelte ich eine Routine, in der ich ihn jeden Morgen besuchte und den ganzen Tag hinweg bei ihm blieb. Ich half ihm beim Essen und sorgte dafür, dass er es so gemütlich wie möglich hatte. Sie hatten dort eine Cafeteria und ich hatte mein iPad, um die Nachrichten zu lesen und alle bezüglich Kurt auf dem Laufenden zu halten.

Eines Tages machte sich Rhonda auf den Weg nachhause und Sandy sollte erst am nächsten Morgen ankommen. Da Rhonda nicht wollte, dass ich alleine schlief, legte ich mich zum ersten Mal in Kurts Zimmer. Das war die Nacht, in der er von uns ging. Ich rief zuerst Rhonda an, die gerade im Zug saß. Ich bin so dankbar dafür, am Ende bei ihm gewesen zu sein. Das war mir so wichtig.

Er wurde im Miramar National Cemetery beigesetzt. Das Militär verabschiedete ihn mit einer Ehrengarde und einem Salutschuss. Die Menschen dort zeigten großes Mitgefühl und behandelten ihn und mich mit Würde und Respekt. Das machte mich stolz.

Hätte es den Krieg nicht gegeben, hätte ich wahrscheinlich jemanden geheiratet, der meinen Eltern gefiel—wie es damals halt üblich war—und wäre unglücklich gewesen. Ich fühle mich schuldig, dass ich meine Eltern verlieren, Auschwitz überleben und in die USA kommen musste, um den Einen für mich zu finden.

Ich lag gestern Nacht im Bett und konnte nicht schlafen. Ich blickte auf mein Leben zurück, da es immer schneller seinem Ende zugeht. Ich konnte nicht fassen, was alles geschehen war. Wenn man anfängt so richtig darüber nachzudenken, fragt man sich: *Ist mir das alles passiert? Habe ich das durchgemacht?* Ich konnte einfach nicht einschlafen. Es war eine schreckliche Nacht, weil ich mich plötzlich der Realität stellte. Was für eine Schande, dass es so enden muss—erst Frici und dann Kurt. Ich weiß nicht, wie man sowas überstehen kann. Wie soll ich das tun?

Ruthie bleibt jetzt länger, wenn sie mich besuchen kommt, weil wir herausgefunden haben, dass Ralphs Lebensmittelladen in La Jolla koscheres Essen verkauft. Sie verbringt jetzt manchmal auch Schabbat hier und dann holen wir ihre Kerzen raus. Jeden Abend um sieben Uhr ruft sie mich, um zu hören, wie es mir geht. Sie sorgt sich um mich, so wie ich mich einst um sie gesorgt habe. Sie ist eine sehr, sehr, sehr gute Schwester.

Es scheint, als wäre die Zeit einfach verflogen. Doch wenn man sich der Einzelheiten bewusst wird, ändert das alles. Heute ist der 8. April, der Jahrestag von Ruthie, Edith und meiner Ankunft in den USA.

Die Wall of Fame

2017-2018 — Ruthie

In meinem neuen alten zuhause in Flatbush habe ich eine Spendenbox auf dem Couchtisch im Wohnzimmer stehen. Mehrmals im Jahr kommt ein Herr vorbei, um sie abzuholen. Diesen Frühling war es ein junger Mann und er sah, dass meine Wand voller Bilder war. Er merkte an, wie schön er das fand. „Ja", sagte ich. „Es ist wirklich schön, da ich nie gedacht hätte, so etwas zu haben." Er fragte mich wieso, also erklärte ich es ihm. Danach lud ich ihn ein mit in das Esszimmer zu kommen, wo ich meine „große" Wand voller Bilder habe. Ich nenne sie meine „Wall of Fame". Er fragte mich, ob er ein Foto davon schießen dürfte. Er war so begeistert. Tatsächlich hatte ich mittlerweile neue Bilder und musste ganz oben eine neue Reihe anfangen. Schalom hat mir geholfen. Meine ganz eigene Rache—*nakooma*.

Meine Kinder, Enkel und Urenkel sind meine Rache. Mehr brauche ich nicht. Ich hätte nie gedacht, dass ich jemals welche haben würde, also sind sie das für mich geworden. Und für sie lebe ich. Sie alle sind wundervolle Menschen. Wann immer Freitags das

Telefon klingelt, weiß ich, dass sie mich anrufen, um mir einen guten Schabbat zu wünschen, denn sie wissen, dass Samstag mein Ruhetag ist.

Ich habe einen Kalender, auf dem alle Geburtstage vermerkt sind. Zu Beginn jedes Monats beschrifte ich Karten und hole für jeden Geld von der Bank. Die meisten von ihnen leben weiter nördlich in Monsey, also sammelt Davids Frau Nina alle ein und liefert sie aus. Sie ist meine Postbotin.

Manchmal gehe ich mit Evy zum Museum of Jewish Heritage im Battery Park. Ein paar Jahre nachdem sie in den Ruhestand gegangen war, fing sie an dort als Freiwillige zu arbeiten. Dafür musste sie eine monatelang Ausbildung machen. Sie sagte: „Es war, als ob man für ein Diplom im Fachbereich Holocaust-Studien lernte." Es ist ein wunderschöner Ort. Als freiwillige führt sie Schüler durch das Museum.

Vor Jahren spendete ich viele meiner Bilder und Gegenstände an eine Sammlung in Brooklyn. Doch sobald sie das Museum for Jewish Heritage im Battery Park eröffneten, wurde die Sammlung Teil davon. Vor nicht allzu langer Zeit gingen Daniel und ich dorthin und folgten einer Tour von Evy, in der sie eine Gruppe Schüler um ein Foto von mir versammelte, in dem ich siebzehn war und in Schweden lebte. Neben dem Bild liegt der Kamm, den ich aus Metall gefertigt hatte, als wir durch die Berge marschiert waren. Evy beschrieb ihn als ein Zeichen der Hoffnung unter solch schrecklichen Umständen. Danach erklärte sie, dass das Mädchen auf dem Foto jemand ganz besonderes für sie war. Sie schaute mich an und sagte: „Denn dieses Mädchen ist meine Mutter und sie ist heute hier bei uns." Es war ein unglaublich emotionaler Moment. Ich bin nicht nur ein Bild. Ich bin dieses Mädchen. Und dann begannen sie mir Fragen zu stellen.

Nach Israel reise ich auch heute noch regelmäßig. Davids Sohn Shmuel ging nach seinem High-School-Abschluss nach Israel und es gefiel ihm so sehr, dass er dorthin zog. Er heiratete und lebt jetzt in Jerusalem, wo er eine *Jeschiwa* für verheiratete Paare führt. Adi,

Evys Tochter, und ihr Ehemann Fred zogen schon vor Jahren nach Israel. Sie leben in Ramat Beit Shemesh Aleph. Sie ist eine Sozialarbeiterin und er ein Buchhalter. Sie haben sechs Söhne und ein kleines Mädchen. Ihr Haus hat einen Keller mit zwei Seiten. Auf einer Seite gibt es ein Zimmer mit einem ausziehbaren Sofa. Sie nennen es „Bobbis Zimmer" und wenn ich sie besuche, übernachte ich dort.

Ich bin sehr glücklich. Doch es gibt eine Sache, die ich mich immer noch frage: Was haben sie mit meinem Baby gemacht?

Ernest schuftete für die Ungaren in einem Arbeitslager in Budapest. Als die Deutschen in Ungarn einfielen, töteten sie einen Großteil der Zwangsarbeiter und schickten ihn nach Mauthausen. Ernest sah mit seinen eigenen Augen, wie SS-Soldaten ein Baby hochschmissen und es wie ein Spielzeug aus der Luft schossen. Ein anderer Nazi befahl einer Mutter ihr zwei Monate altes Baby auf den Boden zu legen, wo er es mit seinen Stiefeln zu Tode trampelte.

Hätten sie das meiner kleinen Peska angetan, wäre Mutter auf der Stelle gestorben. Also was haben sie mit meinem Baby gemacht? Es macht mich verrückt.

DER KÜCHENTISCH

19. JUNI 2018

Manci und Ruthie

Manci: „Ich fühlte mich einfach taub. Ruthie ist da anders. Für mich war es, als wäre ich jemand anderes, der von außerhalb zuschaut. Das alles ist nicht mir passiert. Selbst wenn man mich heute fragt, würde ich sagen, dass ich das nicht hätte durchstehen können. Da ist eine Distanz. Ich weiß, dass es geschehen ist. Doch ich kann es nicht glauben. Es ist zu überwältigend, denn ich hätte das nicht überleben können."

Ruthie: „Ich hatte einfach immer das Gefühl, dass irgendjemand darüber sprechen muss."

Manci: „Ihr ist es passiert. Für mich ist es jemand anderen geschehen. Es bleibt in mir und sie lässt es raus. Und wahrscheinlich geht es ihr besser."

Ruthie: „Es ist auch für mich nicht einfach. Ich tue es für die Kinder."

Manci: „Egal wofür, ich könnte nicht vor einer Gruppe Menschen stehen und darüber sprechen. Nicht einmal meinen eigenen Kindern konnte ich davon erzählen. Ich konnte es nicht. Mein

Tagebuch in Schweden... ich hörte nach fünf Seiten auf, weil ich es nicht mehr aushielt. Ich konnte einfach nicht mehr. So weit bin ich gekommen und mehr ging nicht. Ich wollte nie wieder darüber sprechen."

Ruthie: „Ich bin die Starke."

Manci: „Ich war die Starke. Nun sagt Ruthie, dass sie es ist. Vielleicht war ich stark, als wir es durchmachten, und Ruthie ist stark darin, damit umzugehen. Ich weiß es nicht. Wir haben getan, was wir tun mussten. Wir haben überlebt."

Ruth und Manci am Küchentisch in San Diego (2018).

EPILOG

Die Frage, die während der Recherche für dieses Buch vielleicht am meisten an mir nagte, war: Warum wurde den Schwestern (und anderen) im Dezember 1944 angeboten, sich freiwillig für einen „Privattransport" nach Reichenbach zu melden, woraufhin diese Gruppe begleitet von SS-Wachen von Arbeitslager zu Arbeitslager in Deutschland marschierte, bis zum letzten Stopp nördlich von Hamburg/Altona an der dänischen Grenze?

Wir kennen den Ablauf dieser Märsche, weil Manci eine chronologische Liste in ihrem kurzen Tagebuch, aus der Zeit in Schweden in 1945, aufgeführt hatte:

- 21. Mai 1944 - Ankunft in Auschwitz
- 24. Mai 1944 - Wir wurden tätowiert
- 25. Mai 1944 - Wir begannen in Birkenau zu arbeiten
- 15. Dezember 1944 - Wir meldeten uns für den Transport nach Reichenbach
- 10. oder 12. Februar 1945 - Wir begannen täglich fünfundzwanzig bis dreißig Kilometer durch die Berge zu laufen
- 16. Februar 1945 - Ankunft in Trautenau

- 16. Februar 1945 - Wir wurden in offene Wagen gesteckt und waren zehn Tage unterwegs
- 26. Februar 1945 - Ankunft in Porta
- 25.-26. März 1945 - Geschlossene Wagen mit hundert bis hundertzwanzig Menschen in einem Wagen. Wir fuhren nach Bensdorf und von da nach Ludwigslust
- 15. April 1945 - Ankunft in Hamburg/Altona
- 30. April-1. Mai 1945 - Unser letzter von der SS bewachter Transport
- 2. Mai 1945 - Ankunft in Dänemark
- 4. Mai 1945 - Ankunft in Schweden

Die so angegebene Route ist auf der folgenden Karte verzeichnet.

Manci und Ruth Grunbergers Zugfahrt von Munkács in Ungarn nach Auschwitz in Polen (18. Mai 1944 bis 21. Mai 1944) und Fußmarsch von Auschwitz an die Grenze Dänemarks (15. Dezember 1944 bis 30. April 1945).

Manci beschreibt, dass die Wachen Anfang Dezember 1944 nach Freiwilligen für einen Arbeitsauftrag fragten. Das Sagen sollte dabei eine Zivilperson haben und der Transport wurde als „privat" bezeichnet. Zu der Zeit kam die Rote Armee immer näher und die Nazis begannen die Evakuation von Gefangenen aus Konzentrationslagern in das Innere Deutschlands vorzubereiten. Die Hauptgründe für diese Handlungen waren:

1. Insassen nicht in die Hände der Alliierten fallen und ihre Geschichten erzählen zu lassen,
2. um Zwangsarbeiter zu behalten und, vielleicht,
3. dass einige Nazi-Anführer vorhatten, Gefangene als Geiseln für Friedensverhandlungen zu nutzen.

Manci, Ruthie und ihre Leidensgenossen wussten nichts von alledem. Sie kamen einfach zu dieser Schlussfolgerung: „Wir kommen hier niemals weg. Wenn wir hier bleiben, haben wir keine Chance. Wir gehen nicht wirklich ein Risiko ein, wenn wir uns entscheiden jetzt zu gehen." Am 15. Dezember wurden die Schwestern in einem Viehwagen nach Reichenbach geschickt, eine Zehntagesreise.

Der Befehl Auschwitz zu evakuieren wurde am 21. Dezember 1944 gegeben und die Evakuierung begann wahrhaftig im Mitte Januar 1945, als die Rote Armee nicht mehr weit entfernt war (die Sowjets erreichten Auschwitz am 27. Januar). Dies geschah hauptsächlich, um zu verhindern, dass Überlebende Insassen in die Hände der Alliierten fielen. Viele starben, weil sie dem extremen Wetter ausgesetzt waren oder wurden von der SS getötet, wenn sie wegen Hunger und Erschöpfung zurückfielen. Gefangene und später auch Historiker nannten es die „Todesmärsche", weil sie solch grausamen Bedingungen ausgesetzt wurden.

Viele der größten Todesmärsche begannen in Auschwitz und Groß Rosen und die historischen Karten zeigen, dass sie nach Westen ins Innere Deutschlands führten. Doch der „Privattransport", auf dem sich Manci, Ruthie und weitere hunderte andere Frauen befanden, bewegte sich zunächst in eine nordwestliche Richtung, dann zurück nach Osten und schlussendlich nach Norden. Sie bewegten sich im Zickzack, anders als die anderen Transporte, die Auschwitz Wochen später verließen.

Die ausführlichste Analyse dieser Handlungen wurde von Daniel Blatman in „The Death Marches: The Final Phase of Nazi Genocide" (2011) durchgeführt und publiziert. Meine

Korrespondenz mit Professor Blatman von der Hebräischen Universität von Jerusalem konnte diese Skurrilität nicht erklären. Zuallererst unterstrich er, wie wertvoll und einzigartig es sei, in der Lage zu sein, eine bestimmte Route zu rekonstruieren, da die Archive was das angeht häufig still bleiben. Leider war es ihm nicht möglich, das „warum" aufzuklären, weil viele der Entscheidungen von „örtlichen Entwicklungen" beeinflusst wurden und „nicht von einer Autorität in Berlin kamen". Und so bleiben uns nur vage Antworten.

Kapitel 4 beschreibt die verschiedenen Zwangsarbeitslager auf dem viermonatigen Treck. Es sollte noch einmal betont werden, dass der schlimmste Teil der Marsch nach dem ersten Lager in Reichenbach war. Zu Fuß (zwanzig bis dreißig Kilometer am Tag) gen Osten durch die Sudeten nach Trautenau in der Tschechoslowakei. Danach kam der Transport zurück in den Westen nach Porta in der Mitte Deutschlands und dann nochmal gen Osten nach Bensdorf, woraufhin es in den Norden nach Ludwigslust und später Hamburg ging.

Der letzte Transport führte an die dänische Grenze, wo die SS-Wachen, an dem Tag von Hitlers Selbstmord, einfach auf einem offenen Feld verschwanden.

Die Schwestern wiederholten mehrmals, dass die Nazis nie Informationen teilten. Sie hatten keinerlei Anhaltspunkte bezüglich der Frage, wieso sie für fast fünf Monate im Zickzack liefen und warum sie so plötzlich im tiefen Norden ihre Freiheit erlangten. Manci sagte: „Was ich damals nicht verstand und bis heute nicht weiß ist, wieso wir verschont worden waren. Waren wir nur Sklavenarbeiterinnen? Damals erklärte man uns, wir wären Teil eines Abkommens gewesen. Scheinbar hatte Schweden versucht jüdische Gefangene gegen Stahl zu tauschen. Oder war es eine Rettungsmission vom schwedischen Roten Kreuz?"

Als Deutschland im März 1944 in Ungarn einfiel, machte Adolph Eichmann ein Angebot, in dem „eine Million" ungarische Juden im Austausch gegen gewisse Güter, darunter 10.000 Trucks, verschont werden sollten. Dieser Deal wurde „Blut für Gut" genannt. Die Alliierten zogen ihn nie ernsthaft in Erwägung.

Andere Rettungshandlungen hatten mehr Erfolg. Raoul Wallenberg, ein schwedischer Abgesandter in Budapest, wurde dafür bekannt, tausende Juden gerettet zu haben: durch schützende Reisepässe und Unterkünfte, die als schwedisches Territorium designiert wurden. Graf Folke Bernadotte vom schwedischen Roten Kreuz führte die Aktion „Weiße Busse" an, welche tausende von Juden und weiblichen politischen Gefangenen aus Ravensbrück und anderen Konzentrationslagern nach Schweden brachte, wo sie medizinische Hilfe erhielten und in Sicherheit waren.

Wir werden wohl nie erfahren, wieso die Schwestern gezwungen wurden, über eine solch merkwürdige Route von Auschwitz zur dänischen Grenze zu marschieren. Doch der Ort, an dem sie schlussendlich ihre Freiheit erlangten, war ein Glücksfall für sie, da sie schnell zur Erholung nach Schweden gebracht wurden und innerhalb eines Jahres in die USA gelangten. Die meisten, die aus Konzentrationslagern in Deutschland befreit wurden, verbrachten danach mehrere Jahre in Lagern für Flüchtende. Einige kehrten in ihre Heimatländer zurück und andere fanden ein neues Zuhause, wie zum Beispiel im gerade gegründeten Israel.

Die fünf Mädchen verbrachten nur wenige Tage in Dänemark und wurden dann vom Roten Kreuz nach Schweden befördert, um sich dort zu erholen. Innerhalb eines Jahres gehörten Manci, Ruthie und Edith zu den ersten Flüchtenden des Holocaust, die in die USA einwanderten.

QUELLEN

Interviews

Manci Beran, 9. August 2017. Länge: 1:50

Manci Beran, 10. August 2017. Länge: 1:12

Manci Beran, 4. September 2017. Länge: 1:22

Manci Beran und Ruth Mermelstein, 15. September 2017. Länge: 0:32

Ruth Mermelstein, 16. September 2017. Länge: 0:54

Manci Beran, 11. Oktober 2017. Länge: 0:47

Manci Beran, 2. November 2017. Länge: 1:00

Manci Beran, 3. November 2017. Länge: 1:31

Manci Beran und Ruth Mermelstein, 15. Januar 2018. Länge: 0:25

Ruth Mermelstein, 16. Januar 2018. Länge: 1:04

Manci Beran und Ruth Mermelstein, 16. Januar 2018: Länge: 0:34

Manci Beran, 18. März 2018. Länge: 1:23

Manci Beran und Ruth Mermelstein, 19. Juni 2018. Länge: 1:24

Manci Beran und Ruth Mermelstein, 20. Juni 2018. Länge: 1:30

Ruth Mermelstein, 20. Juni 2018. Länge: 0:51

Manci Beran und Ruth Mermelstein, 20. Juni 2018. Länge: 0:33

Manci Beran und Ruth Mermelstein, 21. Juni 2018. Länge: 0:53

Andere Primärquellen

Manci Grunberger, *Journal of Recollections*, Mai 1945. Übersetzung von Edith Milner (Mai 1996).

Rella Grunberger, *Diary*, Mai-Juni 1945. Übersetzung von Szilvia Gartner und Alexandra Major (Juli 2018).

Ruth Mermelstein, *Beyond the Tracks: An Inspirational Story of Faith and Courage* (New York, Union of Orthodox Jewish Congregations of America), 1998.

Ruth Mermelstein Grunberger Interview von Leslie Bennett-Troper für das Visual History Archive der USC Shoah Foundation, 19. September 1995. https://sfi.usc.edu/

Weitere Quellen

Diese zwei Organisationen stellten ausführliches Material für den historischen Kontext der einzelnen Kapitel zur Verfügung:

Die Holocaust Enzyklopädie des United States Holocaust Memorial Museums

https://www.ushmm.org/learn/holocaust-encyclopedia

Yad Vashem: The World Holocaust Remembrance Center

http://www.yadvashem.org

Die folgenden Quellen wurden für spezifische Informationen genutzt.

Teil 1: Es fehlte an nichts und Teil 2: Ein Sturm zieht auf

Raz Segal, *Days of Ruin: The Jews of Munkacs During the Holocaust* (Jerusalem, Israel: Yad Vashem), 2013.

Raz Segal, *Genocide in the Carpathians: War, Social Breakdown, and Mass Violence, 1914-1945* (Stanford, CA: Stanford University Press), 2016.

Teil 3: Sturz in die Dunkelheit

Lawrence Rees, *Auschwitz: A New History* (New York, NY: Public Affairs), 2005.

Yad Vashem, The World Holocaust Remembrance Center, Central Database of Shoah Victim's Names. https://yvng.yadvashem.org.

Teil 4: Auf der Flucht

Yehuda Bauer, *Jews for Sale? Nazi-Jewish Negotiations, 1933-1945* (New Haven, CT: Yale University Press), 1994.

Daniel Blatman, *The Death Marches: The Final Phase of Nazi Genocide* (Cambridge. MA: The Belknap Press of Harvard University Press), 2011.

Teil 5: Paradies

Ralph Hewins, *Count Folke Bernadotte: His Life and Work* (Minneapolis, MN: T.S. Denison & Company), 1950.

Louise Borden, *His Name was Raoul Wallenberg* (New York, NY:Houghton Milin Company), 2012.

Teil 6: Philadelphia

Gerard Daniel Cohen, *In War's Wake: Europe's Displace Persons in the Postwar Order* (New York, NY: Oxford University Press), 2012.

Teil 7: Erfüllte Leben

William B. Helmreich, *Against All Odds: Holocaust Survivors and the Successful Lives They Made in America* (New York, NY: Simon & Schuster), 1992.

Françoise S. Ouzan, *How Young Holocaust Survivors Rebuilt their Lives: France, the United States, and Israel* (Bloomington, IN: Indiana University Press), 2018.

DANKSAGUNG

Ich möchte Rhonda—Mancis Tochter und meine Frau—dafür danken, mich ermutigt zu haben, dieses wichtige Projekt anzugehen. Sie unterstützte mich auf so vielen Ebenen: Motivator, Prüfinstanz und Lektorin. Sandy, Rhondas Schwester, war von Anfang an eine begeisterte Cheerleaderin. Auf Seiten der Familie Mermelstein hatte ich die Unterstützung von... nun, jedem. Doch ich muss insbesondere Ruthies Tochter Evy danken, die mir gegenüber so unglaublich freundlich und von Beginn an eine unerschöpfliche Quelle des Enthusiasmus war.

Ich erhielt auch eine ganze Menge professionelle Hilfe. Connell Cowan—ein bekannter Psychologe, Autor und guter Freund— stand mir über unzählige Manuskriptentwürfe hinweg unterstützend zur Seite. Raz Segal, welcher mehrere Bücher über die Juden von Munkács und den Karpaten verfasst hat, war so gütig mir seine Meinung zum Text zu geben.

Ich habe außerdem das Glück, mit Kelly Zuniga befreundet zu sein, welche als Geschäftsführerin des Holocaust Museums von Houston fungiert und mich mit Ann Millin, einer Historikerin des United States Holocaust Memorial Museums (USHMM), in Kontakt brachte, welche mich dann wiederum mit anderen engagierten Forschern und Historikern des USHMM in Verbindung setzte.

Rachel Beck, meine Agentin von Liza Dawson Associates, war sowohl für mich als auch die Schwestern von Anfang an eine enthusiastische Förderin und Freundin.

Und zum Schluss, an Manci und Ruthie, vielen Dank für das große Privileg eure Geschichte der bedingungslosen Liebe erzählen zu dürfen.

ÜBER DEN AUTOR

Daniel Seymour ist Professor, Administrator und Referent für viele Universitäten. Er erhielt seinen BA am Gettysburg College und seinen MBA von der University of Oregon, wo er dann auch promovierte. Dr. Seymour ist der Autor von zwanzig Büchern und lebt in Palm Springs, Kalifornien mit seiner Frau Rhonda.

„Liebesgrüße aus Auschwitz" hat Auszeichnungen von den *Feathered Quill Book Awards* und *Readers' Favorite Book Awards* erhalten und gehörte bei *Kirkus Reviews* zu den 100 besten „Indie Books of 2022". Das Buch ist auf Englisch, Deutsch und Portugiesisch erhältlich.

AMSTERDAM PUBLISHERS
HOLOCAUST BIBLIOTHEK

Die Reihe **Holocaust Überlebende erzählen** besteht aus den folgenden Geschichten von Überlebenden:

Holocaust Erinnerungen von Hank Brodt: Eine Kerze und ein Versprechen, von Deborah Donnelly

Wie wird der vierzehnjährige Junge die Grausamkeiten auf sich alleingestellt überleben und seine Menschlichkeit behalten können?

Diese schockierenden Erinnerungen des Holocaust-Überlebenden Hank Brodt (1925-2020) zeigen persönliche Einblicke in die innere Welt eines Jungen unter der Herrschaft des Nazi-Regimes. Sie offenbaren fürchterliche Wahrheiten auf ehrliche und sachliche Art und Weise.

Hank Brodt durchlebte eine der dunkelsten Abschnitte in der Menschheitsgeschichte: Er überlebte den Zweiten Weltkrieg. In eine arme Familie in Boryslaw (Polen) hineingeboren, wurde er in ein Waisenhaus gegeben. Hanks Kindheit zerbricht, als die Nazis Polen gewaltsam an sich reißen. In den darauffolgenden Jahren kämpft er täglich um sein Überleben und mit dem Verlust seiner gesamten Familie. Seine Welt bestand aus stillem Widerstand, unsichtbaren Tränen und stillen Schreien, während er Arbeitslager und Konzentrationslager durchquerte, darunter eines, welches aus Schindlers Liste bekannt ist.

Es ist schwer vorstellbar, dass jemand, der solch schreckliche Ereignisse mitmachen musste, weiterleben und ein Leben in Dankbarkeit leben konnte- und das bis heute. Mithilfe seines standhaften Mitgefühls für andere, gelang es Brodt, seine Menschlichkeit zu behalten und weitermachen zu können.

Hank Brodts Holocaust-Memoire ist eine notwendige Erinnerung an eine der schlimmsten Zeiten in der Menschheitsgeschichte.

Rette meine Kinder: Vom Überleben und einem unwahrscheinlichen Helden, von Leon Kleiner und Edwin Stepp

Ein jüdischer Junge und seine Geschwister fliehen einer von Hass zerstörten Welt. Ein berüchtigter, brutaler Antisemit, der Juden jagt. Wieso riskiert dieser Mörder sein Leben, um das der Kinder zu retten?

Ein Elfjähriger und seine Geschwister kämpfen nach dem Einmarsch der Nazis in Polen um ihr Überleben. Wieder und wieder gelingt es ihnen, dem sicheren Tode zu entkommen, als die mörderischen Faschisten versuchen, ihre Heimatstadt Tluste für judenrein zu erklären. Doch es scheint, das Glück habe sie verlassen, als die Deutschen den Befehl geben, ihr Arbeitslager zu liquidieren.

Unerwartete Hilfe kommt von Timush, einem Mann, der für seine abscheulichen Taten gegen Juden bekannt ist. Nachdem er den Ruf ihrer Mutter: „Rette meine Kinder!" vernimmt, als sie zu ihrer Hinrichtung marschiert wird, setzt Timush alles daran, das Leben der Kinder zu retten und wenn es das eigene Leben ist.

Rette Meine Kinder ist eine wahre Geschichte über die Verwandlung eines Mannes, der einst von Hass und Gewalt getrieben war. Dieser Mann erbringt das höchste Opfer, um jene zu retten, die er einst töten wollte.

Gewinner der International Impact Book Awards 2011 in der Kategorie Life Experiences.

Aufschrei gegen das Vergessen: Erinnerungen an den Holocaust, von Manny Steinberg

Manny Steinberg (1925-2015) verbrachte seine Jugendzeit in den Konzentrationslagern Auschwitz, Vaihingen an der Enz und Dachau. Steinberg war insgesamt sechs Jahre in diesen Konzentrationslagern interniert und nahm sich nach seiner Befreiung vor, seine Autobiographie *Aufschrei gegen das Vergessen. Erinnerungen an den Holocaust* zu schreiben. Damit erfüllte er sich ein selbst auferlegtes Versprechen. Es dauerte zehn Jahre, bis er seine Lebensgeschichte zu Papier gebracht hatte und jetzt wird "Aufschrei gegen das Vergessen" von so vielen Lesern auf der ganzen Welt gelesen. Es erfüllt den Autor mit Dankbarkeit, dass seine Stimme gehört wird. Steinberg wollte Deutschland nie wieder besuchen, änderte aber jüngst seine Meinung im April 2015.

Der 90-jährige wurde mit weiteren sieben Überlebenden eingeladen, um an der Gedenkfeier zur 70-jährigen Befreiung des Konzentrationslagers Vaihingen an der Enz beizuwohnen, dem letzten Konzentrationslager, in dem Steinberg inhaftiert war. Begleitet wurde er auf dem für ihn sehr bewegenden Besuch von seiner Familie und von Freunden. Er besuchte mit ihnen auch das Konzentrationslager Dachau.

Steinbergs Lebensgeschichte umfasst das Wunder, wie ein Mann dazu bestimmt war zu überleben. Das Buch ist einerseits zwangsläufig ein Bericht menschlicher Grausamkeit, andererseits ein Zeugnis der Kraft von Liebe und Hoffnung. Durch die Veröffentlichung seiner Holocausterinnerungen wollte der Autor sicherstellen, dass auf der Welt niemals vergessen wird, was sich während des Zweiten Weltkriegs ereignete. Steinberg's eindrücklich geschilderte Erinnerungen gewähren historische Einblicke und beeindrucken als Plädoyer für Gerechtigkeit und Menschlichkeit in jeder Generation!

„Es vergeht kein Tag, an dem ich nicht an meine Kindheit oder an meine Familie denke, aber so lange es mir erlaubt ist, auf dieser Erde zu sein, wache ich jeden Morgen mit dem Gefühl von Glück und Segen auf."

"Als die deutschen Soldaten die Menschen töteten, die ich liebte, erkannte ich, dass mein Lebenszweck nicht bloß darin bestand auf der Welt zu sein, sondern zu leben."

Tote Jahre: Eine jüdische Leidensgeschichte, von Joseph Schupack

Vierzig Jahre danach erinnert sich ein in Polen aufgewachsener Jude an die Jahre der Verfolgung. Er beschreibt das Leben in Radzyn, einer typisch jüdischen Shtetl-Gemeinschaft im damaligen polnischen Generalgouvernement, dem Vorhof von Treblinka, Majdanek und Auschwitz, und dann den Untergang dieser Welt, wie er ihn, gerade 17 geworden, erlebt hat: mit zunehmenden Schikanen, ständiger Bedrohung, Grausamkeiten und nackter Gewalt; mit der Verschleppung und Ermordung der Geschwister, Eltern, Freunde; mit der Ausrottung einer ganzen Volksgemeinschaft.

Er beschreibt den eigenen Leidensweg und den verzweifelten Kampf ums Überleben, seine Erlebnisse in den Ghettos, in Majdanek, Auschwitz und anderen Konzentrationslagern wie Dora-Nordhausen und Bergen-Belsen. Er beschreibt seine Begegnungen mit Leidensgenossen, Kindern und Erwachsenen, Gläubigen und Ungläubigen, Mutigen und Müdegewordenen, Hungrigen, Kranken, Erniedrigten. Es sind die Stimmen der Opfer, die er zu Gehör bringt. Das macht diesen nüchternen, um Wahrheit bemühten Bericht zur eindringlichen Anklage gegen den Wahnsinn des Antisemitismus.

"Ein unbeschreibliches Zeugnis der Grausamkeit, welches tiefe und ungeschönte Einblicke in die Abgründe des unmenschlichen Leidens und Sterbens in der Hölle zulässt."

Holocaust Memoiren einer Bergen-Belsen Überlebenden.
Klassenkameradin von Anne Frank, von Nanette Blitz Konig

Ein Denkmal zu Ehren des unverwüstlichen menschlichen Geistes

In diesen eindrücklichen Holocaust Memoiren schildert Nanette Blitz Konig ihre erstaunliche Überlebensgeschichte vom Zweiten Weltkrieg, während dem ihre Familie und Millionen andere Juden von den Nazis inhaftiert wurden und in hoffnungsloser Gefangenschaft lebten. Nanette ging auf das Joods Lyceum (jüdische Schule) in Amsterdam und war eine Klassenkameradin von Anne Frank. Sie sahen sich in Bergen-Belsen wieder, kurz bevor Anne starb. Während dieser emotionalen Treffen erzählte Anne, wie sich ihre Familie in einem Hinterhaus versteckte, von der Deportation, von ihrer Zeit in Auschwitz und von dem Plan ihr Tagebuch nach dem Krieg zu veröffentlichen. Diese ehrliche Geschichte vom Zweiten Weltkrieg beschreibt den durchgehenden Kampf ums Überleben, unter den brutalen, von den Nazis auferlegten, Bedingungen im Konzentrationslager. Darauf folgt Nanettes langer Weg zur Genesung nach dem Krieg und ihr harter Kampf gegen die Auswirkungen von Hunger und Krankheit. Sie erzählt davon, wie sie sich Stück für Stück ein neues Leben aufbaute, heiratete und eine Familie gründete.

Preisgekrönte Autorin und Holocaust-Überlebende Nanette Blitz Konig (geboren im Jahr 1929) ist dreifache Mutter, sechsfache Großmutter und vierfache Urgroßmutter. Sie lebt in der brasilianischen Stadt São Paulo.

Ihre Holocaust Memoiren sprechen im Namen jener Millionen von Menschen, die ihrer Stimme für immer beraubt wurden.

Holocaust Erinnerungen. Vernichtung und Überleben in der Slowakei, von Paul Davidovits

Diese Holocaust Memoiren begannen mit einem Fotoalbum, einem der wenigen Familienbesitztümer, die den Zweiten Weltkrieg überlebten. Nach dem Tod seiner Mutter ging das Album in den Besitz von Paul Davidovits über, dem bewusst wurde, dass er die einzig noch lebende Person war, die sich noch an die Menschen auf den Fotos, an ihre Beziehungen zueinander und an ihre Lebenswege erinnern konnte.

Davidovits erzählt nun die Geschichten der Bewohner seiner verlorenen Welt und führt uns durch seine Kindheit. Er schildert nicht nur eindrucksvoll den erschütternden und traumatischen historischen Verlauf, sondern schwelgt auch in den ergreifenden Momenten, die geprägt sind von Liebe, Mut, Großzügigkeit und Humor.

Davidovits' Geschichten sind einzigartig und fein geschliffen. Obwohl seine Memoiren persönlich sind, schwingt in seinen lebhaften Beschreibungen des Überlebens und des menschlichen Geistes, im Angesicht von Unmenschlichkeit und scheinbar unüberwindbaren Hindernissen, etwas Universelles mit, das für jede kommende Generation relevant bleiben wird.

Liebesgrüße aus Auschwitz. Die inspirierende Geschichte des Überlebens, der Hingabe und des Triumphs zweier Schwestern. Erzählt von Manci Grunberger Beran & Ruth Grunberger Mermelstein, von Daniel Seymour

Mukačevo in der Tschechoslowakei. Zwei junge Mädchen, Manci und Ruth Grunberger, wachsen zusammen mit ihren sechs Geschwistern in einer liebevollen, jüdischen Familie am Fuße der Karpaten auf, eine friedliche Region, bis sie von Ungarn im Jahr 1938 annektiert wird.

Sowie der Zweite Weltkrieg über Europa hinwegfegt, rückt das Territorium immer mehr in den Fokus der Nazi-Endlösung. Familie Grunberger wird nach Auschwitz deportiert, wo Josef Mengele darüber entscheidet, wer lebt und wer stirbt. Manci und Ruth verlieren ihren Vater, ihre Mutter und alle sechs Geschwister an die Gaskammern.

Die beiden Schwestern überleben sieben Monate in Auschwitz und einen fünfmonatigen Todesmarsch durch die Sudeten unter der Aufsicht von brutalen SS-Wachen, bevor sie nahe der dänischen Grenze gerettet werden. Verwandte aus Philadelphia hören von ihrem Überleben und kurz darauf sind Manci und Ruth unter den ersten Flüchtenden des Holocaust, die in die Vereinigten Staaten auswandern.

Aus diesen traumatischen Anfängen erblühen zwei erfüllte Leben. Die Schwestern haben unterschiedliche Werte, Interessen und Bewältigungsmethoden und doch wird das persönliche Band zwischen den beiden—die selbstlose, bedingungslose Liebe zueinander—über die Jahre hinweg nur noch stärker.

Ihre einzelnen Memoiren—erzählt in der ersten Person und begleitet von historischem Kontext—kommen zusammen, um ein erstaunliches Bild von Widerstandsfähigkeit und Überlebenswillen zu erschaffen. Ein Triumph des menschlichen Geistes, der sich über neun Jahrzehnte erstreckt.

Made in the USA
Las Vegas, NV
18 January 2024